Maurizio de Giovanni

Un volo per Sara

Rizzoli

Pubblicato per

Rizzoli

da Mondadori Libri S.p.A.
Proprietà letteraria riservata
© 2022 Mondadori Libri S.p.A., Milano
Published by agreement with The Italian Literary Agency

ISBN 978-88-17-16168-8

Prima edizione: maggio 2022

Un volo per Sara

A mia madre.
Mai così visibile,
mai così presente.

I

Quando il motore di sinistra si spense, il comandante Stefano Tomassi stava pensando a Maria.

Non era un fatto da poco, considerato che aveva ormai cinquantasette anni e, come mormoravano i colleghi, nel suo turbolento passato aveva accumulato più relazioni che ore di volo. L'ambiente d'altronde era quello che era, e un pilota di linea di bell'aspetto, dallo sguardo da adorabile canaglia e la voce calda e suadente, risultava irresistibile.

Le dicerie che gli attribuivano qualità di seduttore avevano fondamento, si doveva ammettere. E quel tipo di lavoro, nei rutilanti anni Ottanta e Novanta, quando i criteri di selezione delle hostess erano soltanto estetici, era un terreno di coltura perfetto per gli incontri edonistici. Hotel di lusso, ristoranti di classe, l'uniforme che faceva da passe-partout, la perizia e l'esperienza che lo rendevano una specie di idolo: tutto concorreva affinché un pilota avesse più donne che serate libere.

Poi i tempi erano mutati. Dall'oggi al domani – almeno così era sembrato al comandante Tomassi – le grandi compagnie avevano cominciato a porsi il problema dei costi in rapporto ai ricavi, i maledetti treni ad alta velocità avevano coperto tratte in precedenza appannaggio esclusivo degli aerei, i dannati terroristi arabi avevano messo paura a quei vigliacchi dei viaggiatori e nulla era stato più come prima. Centinaia di hostess meravigliose avevano dovuto cercarsi un'altra occupazione, dipendenti amministrativi avevano cambiato azienda, personale di terra protestava con gli striscioni sotto le prefetture; e ai piloti con cinquantamila ore di volo sulle spalle e un'affascinante sguardo da canaglia capitava di essere invitati ad accettare un'irrinunciabile buonuscita.

Il comandante Stefano Tomassi non era tra i fortunati che ricavavano conforto dall'idea di starsene a casa, a godersi i nipotini. Innanzitutto perché era sprovvisto di nipotini, così come di figli e anche di moglie; troppo facile e divertente saltare la cavallina, per immaginarsi sedentario in una villetta di campagna.

E poi, parliamoci chiaro: provava una tristezza indicibile per quei colleghi che, appena atterrati, correvano tra le braccia di patetiche, anonime signore con tre o quattro pargoletti piagnucolanti; o che, invece di tuffarsi nelle notti brave di città esotiche, marcavano cartellini con telefonate rassicuranti. Un suo copilota era stato addirittura costretto a fotografare la stanza d'albergo vuota con l'orologio in bella vista. Nemmeno fosse stato un ostaggio delle Brigate Rosse, col quotidiano del giorno in mano. Per carità.

Una volta ritrovatosi nel residence che fino ad allora aveva costituito un più che soddisfacente intervallo fra un viaggio e l'altro, il provvisoriamente ex comandante

Tomassi si era sorpreso a interrogarsi sulla solitudine e sull'età. Il suo tempo pareva trascorso, e il conto in banca completo di gratifica compensava a stento l'eco dei suoi passi fra il letto e il bagno. Aveva forse sbagliato i calcoli? Era forse più felice di lui il copilota autofotografante, oppure ogni collega che poteva contare su una rumorosa e allegra famiglia, magari da portare in vacanza al mare?

Doveva reagire subito, e aveva reagito. Riesumando vecchi contatti e amicizie scadute come lo yogurt che aveva in frigo, si era informato su come potesse rendersi utile facendo la sola cosa che sapeva fare, l'unica che aveva fatto per più di trent'anni insieme a bere Martini e rotolarsi in letti anonimi. Si erano succedute le settimane, si erano succeduti i mesi. Infine, dopo un anno e mezzo, qualcosa aveva recuperato.

Non tutte le tratte si potevano coprire in treno o in auto a noleggio con conducente. C'erano mete che il progressivo diradarsi dei voli di linea aveva reso difficili da raggiungere, e quindi, se eri un poveretto con basse disponibilità economiche, dovevi arrangiarti; ma se eri in possesso di buone disponibilità, be', allora potevi ricorrere a un aereo privato.

Proliferarono le compagnie dotate di light jet a due motori, otto posti al massimo. Mezzi confortevoli, frigobar ai quali servirsi da sé, toilette accessibili piegandosi in due per la limitata altezza dell'ambiente, sedili in pelle reclinabili e clientela selezionata verso l'alto per il prezzo. Due piloti, niente assistenti di volo, vano bagagli ampio a sufficienza e molta cortesia all'ingresso. L'ex comandante ridiventò comandante. Certo, i guadagni erano decimati rispetto ai precedenti ma almeno si volava, e c'erano ancora i tramonti a prua e le nuvole sotto e tutto il resto, e in più l'inebriante sensazione di essere vivi.

Quei diciotto mesi di ibernazione, però, qualche traccia l'avevano lasciata, e Tomassi non aveva più cercato avventure. Il piccolo Learjet 31 era assai divertente da guidare, per lui era come scendere da un SUV e montare su un monopattino, d'accordo, ma i tramonti e le nuvole eccetera... E comunque l'età c'era, e la sentiva tutta nella schiena stanca, per cui quando fra una tratta e l'altra dormiva in Costa Smeralda non aveva voglia di andarsene per locali, neppure d'estate. Meglio un ristorante tipico e poi a nanna.

Proprio lì l'aveva incontrata, Maria. All'inizio l'aveva creduta una semplice cameriera, certo con due occhi simili a una notte infuocata, certo con due gambe elastiche che parevano danzare, ma pur sempre una cameriera. Aveva poi scoperto che era la proprietaria e che preferiva lavorare invece di starsene in spiaggia a godersi i guadagni: ma, gli aveva detto con l'accento spesso e il tono basso e incantevole, io per sentirmi in vita devo darci dentro.

Maria, Maria. Maria, che non aveva avuto il tempo di fermarsi per sposarsi e avere figli, e adesso a trentott'anni magari ci poteva anche riflettere su. Maria, che a un certo punto si era seduta al suo tavolo. Maria, che gli aveva regalato una notte incredibile e gli aveva fatto desiderare di scattare una foto alla sua stanza solitaria con l'orologio in bella vista.

Maria, che forse era la sua occasione tardiva. Maria, che lo avrebbe atteso in aeroporto, quella sera dopo il tramonto, quando avrebbe congedato i passeggeri e fra questi il VIP che aveva rilasciato interviste proprio sotto la scaletta, costringendolo a mandare Andrea, il copilota, a sollecitarne la salita altrimenti avrebbero perduto la finestra per il decollo, come gli gracchiava minacciosa nella cuffia la torre di controllo. Sbrigati, aveva pensato. Ho un porceddu, due seadas, un bicchiere di cannonau e i due occhi più belli del mondo che mi aspettano.

Poi si spense il motore sinistro, e una serie di cicalini prese a suonare. Il comandante Tomassi guardò sorpreso il copilota, che aveva la faccia piena di O, occhi, bocca e perfino narici spalancati per il terrore. Disattivò il pilota automatico, maneggiò leve e pulsanti, frenetico, cercando di riportare l'aereo in assetto. Guardò l'indicatore del carburante, ipotizzando una perdita, ma la lancetta era a due terzi. Che accidenti stava accadendo?

Staccò il microfono e disse ai passeggeri di stare calmi, che l'aereo poteva arrivare a destinazione con un solo motore. Ventisette minuti dal decollo, una quarantina all'atterraggio. Tomassi fissò il tramonto e serrò le mascelle. Ce la facciamo, disse ad Andrea. Certo che ce la facciamo.

Nemmeno un minuto dopo, si spense il motore destro.

Ventisettemilaseicento piedi. Otto chilometri e mezzo, tradusse il suo pensiero, inondato da una fredda, mortale calma. Diede un cenno al copilota, indicando la cabina. Il ragazzo, viso terreo e labbra tremanti, afferrò il microfono e disse ai passeggeri di indossare i giubbotti salvagente, togliersi le scarpe e sollevare le ginocchia verso di sé, abbracciandole. Giunsero urla, pianti, bestemmie. Tomassi contattò il controllo del traffico aereo e lanciò il mayday.

Poi avviò le procedure di ammaraggio, abbassando i flap per rallentare la velocità e cercando di cabrare, nel tentativo di aumentare la resistenza aerodinamica. Una parte di lui pensava alle cose da fare, un'altra sapeva che non c'era niente da fare. Ebbe pena per le urla che venivano dalla cabina, ebbe pena per il copilota Andrea che pregava svelto, lo sguardo febbrile sulla strumentazione di bordo.

Ebbe pena per Maria, per le speranze da lei serbate nella loro storia, per il figlio che desiderava da Tomassi.

Non ebbe pena per se stesso, però. Perché il tramonto che aveva a prua e andava salendo veloce nel campo visivo, e le nuvole che gli venivano incontro svelte erano il suo posto, e non avrebbe voluto essere da nessun'altra parte.

Quattro chilometri al largo delle Pontine, registrò dagli strumenti.

Fu l'ultimo pensiero.

II

Andrea Catapano guardava il telegiornale della sera. Certo, definirlo *guardare* era piuttosto fuorviante, e persino scorretto sul piano semantico; ma per molti versi rendeva l'idea.

Il fatto era che Andrea, adesso ultrasettantenne, era cieco da anni. In realtà, il termine tecnico sarebbe stato *fortemente ipovedente*, ma considerare al pari di un consistente calo della capacità visiva i vaghi lampi di luce che percepiva quando spalancava gli occhi al sole gli sembrava una presa in giro. E nemmeno gli interessava attribuire all'espressione una valenza di insulto o di oltraggio, tanto da pretendere che si usassero perifrasi o metafore che puzzavano di pillola indorata.

Una volta aveva sentito uno affermare, proprio in TV, di essere *diversamente vedente*. Ecco, gli era piaciuto; e benché le persone in studio avessero ridacchiato, lui aveva convenuto che si trattava proprio di quello, di un modo differente di vedere. Perché Andrea Catapano non aveva alcun difetto di percezione. Sapeva con precisione cosa gli succedeva attorno, ed era autonomo. Quattro sensi assai sviluppati gli consentivano di fare tutto ciò che facevano gli altri con cinque, annebbiati dalla prevalenza della vista.

Sì, perché la vista prevaleva. E illudeva, convincendo le persone che quello che avevano sotto gli occhi fosse da prendere così come appariva, e che non rimanesse nulla da scoprire. Non avevano idea, poveri idioti, di quanto raccontasse l'odore; di quanto un sapore o una scabrosità al tatto potessero spiegare del mondo.

E più di ogni cosa, di quanto fosse fondamentale l'udito.

Quando ancora lavorava, e la malattia avanzava rendendolo via via cieco, Andrea utilizzava in primo luogo le orecchie. Si occupava di intercettazioni, e la raffinatissima funzione sensoriale gli permetteva di riconoscere sussurri, brani di conversazioni o sospiri che nessuno percepiva. Lui sì, li percepiva. E svelava i segreti di una chiacchierata in secondo piano, che alla maggior parte dei colleghi nemmeno sarebbe sembrata esistere.

Per cui sì, Andrea la sera *guardava* il telegiornale. Ed era ben diverso dall'ascoltare le notizie alla radio. Preferiva di gran lunga collocarsi sulla poltrona di fronte al televisore, la faccia rivolta alla parete, il telecomando in mano; era nato nella prima metà del secolo precedente, ma aveva sviluppato una divertita familiarità con la tecnologia, e si informava, e acquistava ogni nuova diavoleria potesse tornargli utile. Dacché aveva scoperto l'opportunità di fermare una diretta, tornare indietro e riascoltare le voci che gli suscitavano interesse per registrarle su un disco rigido, trascorreva davanti all'apparecchio assai più tempo di uno che ci vedesse benissimo.

Lo spettacolo, si rendeva conto, doveva essere inquietante. Un anziano immerso nel buio, le cuffie strette attorno ai capelli radi, dinanzi a uno schermo nero per via dell'esclusione del video, orientato peraltro verso un punto in cui non c'era niente, che nel silenzio faceva clic e controclic su un telecomando.

Ma, si diceva, Andrea Catapano preferiva il televisore alla radio. Per un motivo semplice: andavano in onda i servizi filmati. E quindi i rumori in presa diretta, le voci della gente, la colonna sonora della realtà. Era quella la cosa interessante, al di là del racconto piatto e formale del giornalista o dell'approfondimento del commentatore di turno: i rumori della strada, dell'ambiente. E le cuffie glieli restituivano quasi perfetti.

Non se n'era mai andato dal mondo, Andrea. A sbatterlo fuori dalla vita non c'era riuscita la malattia, non c'era riuscita la perdita delle persone care e non c'era riuscito il pensionamento. Erano stati dei cambiamenti, pensava lui. E i cambiamenti non sono né buoni né cattivi: i cambiamenti si prendono e si assorbono. Prima ci si adatta, meno devastano.

Quella sera, la novità principale era che un velivolo appartenente a una compagnia privata non era giunto a destinazione. La partenza era avvenuta proprio dall'aeroporto della sua città, luogo d'arrivo Olbia; dopo un messaggio in cui il pilota comunicava che i motori si erano fermati, prima l'uno e poi l'altro, l'aereo era scomparso nel nulla.

Andrea rifletté sarcastico sull'obbligo di cautela dei giornalisti, che fino alla dimostrazione di quanto era successo restavano sul vago. Che potrà mai essere accaduto a un aereo in volo sul Mediterraneo al quale si sono fermati i motori? Dove mai sarà andato a finire, genio di un conduttore?

La notizia, però, non era quella. La notizia era che a bordo c'era nientemeno che Pierfelice Ribaudo, mica bruscolini. Andrea si fece attento.

Si trattava di un imprenditore del divertimento, fra i più noti del Paese: proprietario di ristoranti di lusso e discoteche, collezionista d'arte e inveterato playboy, con interessi nella motonautica e nell'alta moda. Uno senza peli sulla lingua, famoso per l'inclinazione a dirne quattro alla politica e alle istituzioni, ree – stando al suo pensiero – di mettersi per traverso rispetto alle iniziative imprenditoriali che davano lavoro alla gente. Nemico giurato di ambientalisti, sovrintendenze archeologiche e piani regolatori che bloccavano la strada verso lo sviluppo economico, specie il suo.

Andrea lo trovava intelligente, dissacrante e divertente, ma in buona sostanza delinquenziale; quando Ribaudo era ospite nei talk show, Catapano si tratteneva sempre ad ascoltarlo, perché di certo non ci sarebbe stato spazio per la banalità.

I molti interessi nella meravigliosa Sardegna, i contatti con la politica e l'attitudine a frequentare le zone grigie tra legalità e illegalità avevano posto Ribaudo all'attenzione di più di un magistrato: ma lui l'aveva sempre fatta franca. Fino al volo di quel pomeriggio, era evidente. Peccato, disse fra sé Catapano: in un mondo di persone senza qualità, Ribaudo era almeno imprevedibile.

Il conduttore del telegiornale passò la linea a una corrispondente dall'aeroporto di Olbia. Andrea apprezzò il bell'accento sardo della donna e la precisione delle informazioni fornite: elicotteri che sorvolavano la zona senza avvistare rottami, costretti a fermare le ricerche per la sopraggiunta oscurità. Alcune persone tra parenti, dipendenti e amici, nessuno che avesse rilasciato dichiarazioni. Meteo perfetto, aereo non particolarmente vetusto, pilota esperto e sottoposto con regolarità a rigorosi check-up.

La linea tornò allo studio e da lì fu girata al corrispondente dall'aeroporto di partenza, che distava sì e no un chilometro da casa di Andrea.

Rispetto alla collega di Olbia, l'uomo si esprimeva con una certa teatralità. Parlò di fiato sospeso, di ore d'angoscia, di grandi quesiti senza risposta. Andrea considerò amaro che se un aereo cade da una decina di chilometri d'altezza c'è assai poco da rimanere col fiato sospeso. Il giornalista ripeté le informazioni sulla compagnia e si soffermò sul pilota, un comandante scapolo e senza figli, più che affidabile. Propose la breve testimonianza di una che si definì portavoce della compagnia, la quale snocciolò ovvietà inimmaginabili.

E poi si andò su Ribaudo, sulla sua corposa biografia e sulla modella che frequentava negli ultimi tempi. Erano inoltre in grado di trasmettere l'intervista che l'imprenditore aveva reso proprio ai piedi della scaletta del velivolo, prima di imbarcarsi per quello che – affermò il giornalista con accento tremante – era stato forse il suo ultimo viaggio anche se non era ancora detto, giacché si riponevano speranze nelle ricerche che sarebbero riprese alle prime luci dell'alba.

L'intervista partì. Andrea udì Ribaudo rispondere in maniera non banale a domande banali, lamentandosi della criminale riduzione dei voli di linea che di fatto isolavano un luogo meraviglioso come la Sardegna mettendo a rischio gli investimenti di imprenditori come lui. Si proponeva di avviare una cordata che riorganizzasse il sistema dei trasporti, sostituendosi alla politica incapace di svolgere il proprio compito. Andrea sospirò: avrebbe sentito la mancanza di quel bandito.

A un certo punto, avvertì qualcosa che gli fece saltare un battito.

Agguantò il telecomando. Stop, rewind. Play. Stop, rewind, play. Non poteva essere.

Di nuovo stop. Rewind, play. Restò al buio, il sangue che gli martellava le tempie. Poteva mai essere?

La memoria di cieco gli consentiva cose impensabili per gli altri, ma stavolta sembrava assurdo anche a lui.

Si alzò, avanzò verso un enorme armadio, lo aprì e percorse col dito, quasi li vedesse, i dorsi in plastica di migliaia di audiocassette. Ne afferrò una, raggiunse un vecchio registratore, l'inserì. Cambiò le cuffie con quelle dell'apparecchio e ascoltò.

Una. Due. Dieci volte. Tornò al televisore, play, rewind e play.

Col cuore in gola, andò a prendere il telefono.

III

Il piccolo Massimiliano dormiva.

A osservarlo bene, si capiva perfino quale sogno stesse facendo. Corrugava e spianava la fronte, sollevava un angolo della bocca, allargava le narici. Sara sapeva che stava sognando quel cartone animato in cui alcuni camion capaci di trasformarsi in giganteschi robot mettevano in fuga alieni mostruosi pronti a invadere la Terra. Riconosceva sul suo viso l'esatta sequenza degli eventi, che aveva visto con lui almeno in tre occasioni solo quel giorno.

Tale consapevolezza non derivava dal fatto che ne fosse la nonna e adesso trascorresse molto più tempo insieme al bambino; e neppure era stato Massimiliano a parlargliene, nel modo buffo che hanno i bimbi di raccontare con grande serietà i loro giochi. Era lei, Sara, a non essere come le altre nonne.

Viola, la madre di Massimiliano, se ne stava sul divano, le gambe raccolte. Teneva addosso un plaid. Gli occhi erano cerchiati, i capelli spettinati e privi dell'abituale luminosità. Fissava Sara, che a propria volta fissava Massimiliano. A un tratto disse, piano:

«Dimmi la verità: non ti pare in salute. Credi che non sia guarito del tutto?».

Sara nemmeno si girò a guardarla.

«No. A me pare in ottima salute, e so che è guarito. Ne sono certa.»

L'altra ebbe un guizzo.

«E come lo sai? Che fai, una radiografia a occhio? O percepisci anche la condizione fisica dalle espressioni della faccia?»

La donna dai capelli grigi non rispose alla giovane. Sembrò considerare la domanda, quasi non cogliesse il sarcasmo. Poi disse, piano:

«Ti sorprenderebbe scoprire quanto si comprenda della condizione fisica dal linguaggio del corpo. Ma non ce la farei con persone che mi sono così vicine. Perderei obiettività: e alla fine vedrei quello che voglio vedere. No, io so che Massi sta bene perché abbiamo fatto gli accertamenti la settimana scorsa e perché ho parlato col chirurgo due giorni fa. Tutto procede alla perfezione, il decorso non sarà velocissimo ma dobbiamo stare tranquilli».

Viola sbuffò e si alzò in piedi, passandosi una mano sul viso. Sara la scrutò.

«Tu, piuttosto. Non capisco il tuo atteggiamento, quasi volessi scorgere soltanto il peggio. E questa storia di non dormire, di mangiare pochissimo, di trascurarti, non è sana. Perché non ti fai una bella doccia, esci, pigli un po' d'aria? Col bambino resto io.»

«No, no. Grazie, ma è inutile, la testa non mollerebbe un attimo. Ho paura, non riesco a liberarmi dal pensiero di quelle notti, quando… quando eravamo sicuri che lo avremmo perso. Se prendo sonno, mi addormento così profondamente che se mi chiamasse non lo sentirei, dopo mi sveglio di soprassalto più stanca di prima perché sovrastata dallo stesso terrore.»

«Non ha senso. Tu puoi aiutarlo se stai bene, altrimenti no. E ti garantisco che se vai avanti così non potrai stargli accanto, oltre a diventare un problema per tutti. Devi trovare il modo di riposare.»

Viola era andata alla finestra, il plaid sulle spalle. Il pomeriggio di novembre offriva un pallido sole incerto, e i giardinetti, due piani più in basso, erano poco popolati. La schiena della ragazza disse:

«Vorrei essere come te. Una capace di ragionare, per la quale esiste sempre un senso. Non hai fatto che cercare una spiegazione a ogni cosa, ma potresti anche convincerti che la spiegazione a volte non c'è». Si girò di scatto: «Io non lo volevo. Lo avevo nella pancia, dopo la morte di tuo figlio Giorgio, e non lo volevo più questo bambino. E forse non lo volevo nemmeno mentre il padre era ancora vivo, era una storia così giovane. Avevo immaginato altro per me, lavoro, carriera, quello per cui avevo combattuto. Con l'esempio di madre che ho, poi…».

«Ma erano considerazioni normali; ed è normale pure che una ragazza abbia insicurezze, che non si senta mamma. A me la stessa angoscia, su chi ero e a cosa aspiravo, venne quando sembrava troppo tardi. E invece…»

«No, è diverso. Tu hai compiuto delle scelte, hai fatto bene, hai fatto male, non lo so: ma erano le tue scelte. Io al contrario non ho mai la forza di stabilire da che parte andare. Mi appoggio, faccio in maniera che qualcuno risolva per me, mia madre quando ero ragazza, Giorgio dopo. E adesso che tocca a me decidere per questo bambino così piccolo, non so cosa fare.»

Sara si alzò dalla poltrona posta accanto al letto dove Massimiliano, nel sonno, continuava a veder combattere robot contro alieni, e andò alla finestra, al fianco di Viola.

«È sempre questione di scelte. Anche se si preferisce non scegliere. E non esistono scelte giuste o sbagliate, perché ogni volta che si imbocca una strada si rinuncia a un'altra. L'unica cosa su cui impegnarsi, secondo me, è far sì che ciò che si sceglie somigli il più possibile a ciò che vogliamo. E per farlo, abbiamo una sola via.»

Viola scrutava la scarsa popolazione dei giardini: un tizio corpulento e uno magrolino discutevano animati. Una donna controllava ossessiva l'orologio, battendo i piedi a terra per il freddo. Una coppia di ragazzi chiacchierava su una panchina. Due anziani, un uomo e una donna, passeggiavano in silenzio.

Viola chiese:

«E quale sarebbe, questa via?».

Sara, concentrata sugli alberi spogli, sussurrò:

«Cercare di capire bene quello che vogliamo. Riflettere. Non essere impulsivi. E, soprattutto, non volgersi indietro. Mai».

Il tono era stato secco. Viola si girò verso la nonna del suo bambino. Rifletté su quanto la prima impressione su di lei divergesse da quello che emergeva a una seconda occhiata. Per strada o in un bar a stento se ne percepiva la presenza: una donna di media statura dall'aria dimessa, capelli grigi, niente trucco, niente tacchi, vestiti dozzinali; ma la pelle liscia ed elastica, i tratti raffinati, gli occhi azzurri e profondi cancellavano l'interesse per chiunque altro fosse presente.

«Ah, sì? E come, me lo sai dire? Dove li trovi gli elementi che servono per decidere?»

Invece di risponderle, Sara fece un cenno col mento in direzione dei giardini.

«Sta per dargli un pugno. Non uno schiaffo: un pugno. Con ogni probabilità, al fianco sinistro.»

Viola sbatté le palpebre, confusa. Guardò il tizio corpulento, che gesticolava scomposto.

«Chi? Il tipo grosso al piccoletto?»

«No, quelli stanno parlando di calcio e sono d'accordo fra loro. La ragazza al ragazzo, sulla panchina.»

La giovane spostò gli occhi, sorpresa: aveva immaginato che la coppia stesse parlottando, tenera, e la frase di Sara le sembrò assurda. Nemmeno il tempo di esprimere tale perplessità che la ragazza, fulminea, fece un gesto veloce con la destra e affondò un colpo nel fianco sinistro del compagno, che si piegò dolorante.

Viola, a bocca spalancata, fissò Sara con una muta domanda.

La donna si strinse nelle spalle.

«La rigidità della nuca. Apriva e chiudeva la mano, il braccio teso lungo il fianco. Parlava solo lui, che la stava lasciando rivelandole un altro amore, come è possibile dedurre dal fatto che non la guardava mai in faccia e dal mezzo sorriso sdrammatizzante che ostentava. Lei ha tenuto tutto dentro, poi è esplosa.»

La ragazza si era alzata di scatto dalla panchina e procedeva a passo svelto verso l'uscita dei giardini. Lui si massaggiava il fianco, imprecando.

Viola disse:

«Ma... come hai fatto a prevedere... Perché un pugno? Poteva mollargli un ceffone, una spinta, o cominciare a piangere. Qualsiasi cosa, insomma! Perché proprio un pugno?».

«Perché un braccio rigido, e una mano che si apre e si chiude, preludono a un pugno. È meditato, frutto di una decisione. Lui parlava e lei pensava: adesso gli do un cazzotto. Uno schiaffo è più spontaneo, più impulsivo. È prevedibile, lui magari se lo aspettava e lo parava. E fa meno male, soprattutto. Ha scelto bene, la ragazza.»

Viola increspò le labbra, sorniona.

«La scelta giusta, sì. E gli elementi li aveva tutti.»

Sara disse, d'un tratto:

«Dovresti comprarti qualcosa di inerente al tuo lavoro. Che so... un computer nuovo. O una macchina fotografica. Qualcosa di materiale, che ti faccia concentrare su te stessa».

Viola annuì, ancora sconcertata:

«Un teleobiettivo. Così finalmente potrei inquadrare bene i soggetti da lontano. Forse questo?».

«Vai. Finanzio io. Prima o poi un poco della mia liquidazione dovrò pur spenderlo. Affare fatto?»

Viola allungò una mano dal plaid e accarezzò il braccio dell'amica.

Uno strano rumore giunse dalla borsa di Sara. Era tale la mancanza di abitudine allo squillo del proprio telefono cellulare, che la donna quasi non capì di cosa si trattasse.

IV

A distanza di oltre trent'anni da quando ci aveva messo piede la prima volta, Teresa Pandolfi non smetteva di domandarsi per quale arcano motivo fosse stato scelto quel posto infame per farne la sede dell'Unità.

Certo, alla base c'erano state ragioni di riservatezza, e lei ne comprendeva benissimo l'esigenza. Ma da decenni non si facevano più operazioni sul campo, e tutto era andato più o meno riducendosi ad attività di scrivania. Che senso aveva, perciò, starsene relegati in quella periferia in progressiva decomposizione, difficile da raggiungere e da dove era ancora più difficile tornare a casa, dato il traffico perenne che intasava le strade extraurbane?

Peraltro, come le era venuto spesso in mente, se la funzione dell'Unità fosse restata strategica, la sede non sarebbe certo rimasta quella. Al contrario, loro continuavano ad agire sotto copertura dietro l'insegna sbiadita di un'azienda di import-export risalente alla creazione del gruppo, con gli stessi finestroni opachi di polvere e gli scarichi dei bagni mal funzionanti.

A essere cambiati erano invece gli operatori, e gli strumenti con cui lavoravano. Basta riunioni, basta sensazioni, impressioni o filmati sgranati di incontri ripresi di nascosto da guardare e riguardare, lasciando emergere la verità a pezzi, come frammenti di un relitto che vengono a galla. Adesso computer in batteria, in tre file da quattro, davanti ai quali ragazzini occhialuti ponevano dati in relazione e stilavano grafici, dragando i social network alla ricerca di evidenze che avevano un valore più matematico che emotivo.

Da qualche anno Teresa era a capo dell'Unità, ed era abbastanza intelligente da comprendere che tutto evolve e non ha senso contrapporsi agli eventi; che era stata la capacità di adattarsi ai nuovi mezzi di comunicazione e alle moderne forme di relazione interpersonale a permettere la sopravvivenza della struttura; che venivano fuori più cose interessanti così che dalle intercettazioni ambientali. E si rendeva anche conto che presto non avrebbe avuto alcun senso mantenere unità operative periferiche come quella, la quale rivestiva un valore storico solo perché era stato lì che il suo creatore, Massimiliano Tamburi, l'aveva immaginata e voluta. In fondo, i dati informatici si potevano leggere pure in un sottoscala del ministero. Ma ormai Teresa era vicina alla pensione, e di ciò che sarebbe accaduto alla fine del proprio percorso professionale si disinteressava altamente.

Succedeva però che nella loro area di competenza, assai più virtuale che reale, talora avvenisse qualcosa di rilevante a livello nazionale. Non sempre erano vicende da prima pagina: passaggi di diplomatici, agenti di altri Servizi di intelligence in zona, appuntamenti in campo neutro organizzati da potenze straniere.

Altre volte era la cronaca a mettersi in luce, con un clamore che rendeva l'attività più urgente e persino più complicata. L'incidente aereo di quella sera, per esempio, aveva bloccato tutti in ufficio ben oltre il sonnacchioso orario di lavoro di quei giorni.

Teresa aveva ricevuto la telefonata da Roma in un periodo in cui si limitavano a controllare i tabulati telefonici delle sedici persone che avevano sotto sorveglianza, niente di speciale. La voce impersonale sulla linea protetta, dopo i codici che ne qualificavano la funzione, le aveva comunicato quanto avvenuto e le aveva fatto il nome dell'identità rilevante, nientemeno che l'imprenditore Pierfelice Ribaudo. La donna si era messa subito all'opera, avvertendo gli agenti e assegnando le ricerche da avviare per trovarsi preparati alle probabili richieste della centrale.

Ribaudo era un personaggio scomodo, una scheggia impazzita che aveva stretto e mantenuto rapporti con molti uomini potenti. Ricostruire la rete dei suoi contatti non sarebbe stato facile.

Era quasi mezzanotte quando Teresa sentì bussare alla porta. Sospirò e disse: «Avanti». Entrò una ragazza con la faccia che ricordava un roditore, capelli corvini unti, lenti sporche; aveva gli occhi cerchiati, e le mani sudate lasciavano un alone sui documenti che reggevano.

Teresa la fissò sconfortata. Aveva sempre tenuto al proprio aspetto, e non si mostrava mai a nessuno, nemmeno nell'intimità, senza prima darsi una controllata nello specchio. Non capiva come una donna potesse presentarsi in quel modo davanti a colleghi e superiori.

Eppure, quella ragazza con la faccia da topo era il miglior elemento di cui disponesse al momento.

«Ah, Angela. Ci siamo? O dobbiamo rassegnarci a restare qui la notte intera?»

La ragazza tirò su col naso, parecchio arrossato in punta. Come non bastasse.

«No, capo, abbiamo finito. Cioè, a rigore attendiamo dall'operatore telefonico dei riscontri sugli ultimi minuti di volo, ma siccome a quell'altezza, come sa, non c'è campo, possiamo dare per definitivo quello che abbiamo. Comunque i dati non arriveranno prima di domani, quindi possiamo pure chiudere qua, secondo me.»

Teresa fece cenno ad Angela di sedersi, e la giovane si lasciò cadere sulla poltroncina senza alcuna grazia. L'altra si chiese chi mai avrebbe potuto provare una scintilla di desiderio per lei.

«Dimmi del lavoro che avete fatto.»

La ragazza appoggiò il fascicolo sul piano della scrivania, fissando assorta i fogli quasi potessero prendere vita da un istante all'altro.

«Allora, capo, ci siamo dati da fare sui profili social e su interviste, partecipazioni a talk e interventi radiofonici. Il tizio in pratica non stava mai zitto. Io ho lavorato sul web, Jacopo e Christian sulle TV, e Giannina sulle radio e sui comunicati stampa.»

«Bene. E dunque?»

La ragazza si strinse nelle spalle, agitando la mano. Il maglione nero sintetico che indossava era punteggiato di forfora.

«Guardi, capo, le ho portato i grafici. Le parole chiave e le interiezioni fanno capire che si tratta di un profilo particolarmente aggressivo e polemico. Quest'area in rosso, per esempio...»

Teresa, detta Bionda, ringhiò:

«Stammi a sentire: se avessi voluto consultare i grafici, ti avrei chiesto di inoltrarmeli per mail. Leggerò le schede, complimenti a voi piccoli nerd per averle preparate. Adesso voglio sapere, *con parole tue*, che idea ti sei fatta. Che cosa è successo *secondo te*».

La giovane boccheggiò. Si grattò la testa, incrementando i frammenti di forfora sul maglione. Alle sensibili narici di Teresa giunse una zaffata di cipolla. A volte la genetica si accanisce, pensò Bionda.

«Ma, capo... Be', 'sto tizio aveva una caratteristica: sembrava odiare il mondo, ne diceva di cotte e di crude contro chicchessia però in pratica non se la prendeva davvero con nessuno. Insomma, non sono riuscita a inquadrare l'obiettivo preciso delle sue invettive. Descriveva benissimo le ragioni, sempre condivisibili, e poi, quando era il momento di individuare un responsabile di corruzione, malaffare o incompetenza... muto.»

Teresa annuì. La ragazza aveva un milione di difetti di ordine estetico, ma prima di esporsi soppesava bene i concetti. E l'idea che lei stessa si era fatta di Ribaudo corrispondeva a quella.

«E gli ultimi giorni? Si sa nulla? Qualche variazione nei movimenti, nei comportamenti, negli incontri...»

La ragazza scartabellò i fogli che aveva davanti.

«No, no, tutto come al solito. Stava curando una fusione per incorporazione, una cosa complicata di alta finanza, e se ne stava tappato in ufficio. Abbiamo trovato un paio di prenotazioni annullate nel ristorante stellato dove andava a mangiare; e la fusione non provocava danni a nessuno, era già roba sua insomma. Possiamo continuare a cercare, ma lei può già fare un primo rapporto. Glielo preparo?»

«Sì, preparalo. Non ci fermiamo, però. Scendiamo nel profondo, domani. Controlliamo la compagnia, l'aereo. Vedrai che ci chiederanno notizie, fanno sempre così.»

La ragazza assentì e andò alla porta. Teresa le disse, a bruciapelo:

«Non mi hai detto cosa è successo in realtà, secondo te...».

La giovane si girò.

«Secondo me è stato un incidente, capo. 'Sti cosi cadono, tocca farci i conti.»

Uscì.

E il telefono di Teresa cominciò a vibrare.

V

L'ossessione della segretezza era per Sara un retaggio della generazione precedente, quando i tentacoli della guerra fredda erigevano muri tra i blocchi ed essere visti in compagnia di qualcuno portava a morte certa con annessa sparizione del cadavere.

Mentre guidava diretta all'appuntamento che aveva fissato, rifletté di essere propensa a comprendere la necessità dell'anonimato se doveva vedersi con membri di clan rivali o di fazioni terroristiche, come spesso le capitava agli inizi della professione: ma oggi che la gente se ne andava in giro con la testa sugli smartphone, come zombie, nell'attesa febbrile di spiaggiarsi davanti al computer di casa, era convinta che il massimo della riservatezza fosse ottenibile solo attraverso gli abboccamenti fisici, in zone e posti selezionati anni prima chissà da chi e secondo quali criteri.

Il quartiere era periferico, assai distante dalla sede dell'Unità. Per la persona con cui si apprestava a ritrovarsi non sarebbe stato facile arrivarci. Da come aveva insistito per ottenere quell'incontro, aveva di sicuro qualcosa di rilevante da comunicarle. E tuttavia, non era stata la curiosità a spingere Sara ad accogliere la richiesta, bensì la nostalgia.

Era una novità degli ultimi mesi, la nostalgia. Un sentimento in qualche modo sconosciuto, doloroso, ma anche dolce e avvolgente, come una vecchia foto che spunta dalle pagine di un libro, o una melodia struggente mandata da una radio. Un'emozione a tradimento, una passione indiscreta che sopraggiunge alle spalle, nel buio, e conficca nella schiena la lama sottile del ricordo.

Essere stata costretta, per salvare il piccolo Massimiliano, a scavare nel passato, a fronteggiare la se stessa di allora, a riesumare i cadaveri mummificati di turbamenti emotivi che riteneva ormai sepolti le aveva smosso qualcosa dentro. O forse era soltanto trascorso il tempo giusto perché la mancanza del suo uomo diventasse un dato di fatto, perché la perdita si cicatrizzasse divenendo compagnia dolce.

Sara era uscita dalla sospensione, dal limbo in cui l'aveva collocata la morte di Massimiliano Tamburi, l'uomo che aveva amato per trent'anni. Era questa, la verità. Il nipotino, la precarietà della sua salute, lo smarrimento di Viola l'avevano spostata dal passato al presente; e allora era arrivata la nostalgia.

La mente di Sara fu attraversata dal volto di Nico. Il medico romeno che ora si faceva chiamare Popov e diceva di essere russo, che aveva scelto di navigare a vista disancorandosi da ogni patria e da ogni affetto dopo quello che era successo alla sua donna e al fratello di lei trent'anni prima. L'uomo che aveva salvato il piccolo Massimiliano da morte certa, e che l'aveva accusata di avergli rovinato la vita. Perché le era sovvenuto proprio adesso, quel viso segnato dal dolore?

Cercò all'interno della nostalgia il senso di colpa, e lo trovò. Non serviva ripetersi che era stata giovane e piena di ideali, che credeva di essere dalla parte giusta, che al tempo ragionava in termini di buoni e di cattivi. Prima di essere assorbita all'interno dell'Unità era stata una poliziotta, e poliziotto era stato suo padre, e poliziotto persino suo nonno. Doveva combattere, e aveva combattuto.

Ma, ora lo capiva con bruciante chiarezza, il lavoro che si svolgeva nell'Unità era ben diverso da quello di poliziotta. I confini erano indistinti, le vie da percorrere molto meno dritte. E il bene e il male si erano scambiati di posto troppo spesso, per mantenere le facce che avevano avuto all'inizio.

Parcheggiò e raggiunse il locale.

La gestione era cambiata almeno un paio di volte, con un lungo interregno di abbandono; ma il passaggio degli autotreni sulla vicina strada statale finiva sempre per ingolosire qualche imprenditore. Adesso il posto era divenuto una stazione di servizio con annesso bar ristorante, e c'era ancora la veranda piena di spifferi ricavata a metà degli anni Novanta da una terrazza abusiva.

Sara attraversò la sala, vuota a parte un sonnacchioso barista che lavava stoviglie, e si avviò per le scale, attenta a cogliere eventuali altre presenze. Non ce n'erano.

VI

Non avrebbero potuto essere più diverse, a quel tavolino vicino al mare che raccoglieva gli ultimi raggi di sole. Una truccata e in tacchi a spillo, un cappottino dal collo di pelliccia e una cascata di riccioli biondi sulle spalle, che parlava fitta e gesticolava e mangiava pizza a spicchi; una bruna con qualche ciocca grigia, immobile, le mani in grembo, vestiti anonimi e scarpe basse, i piedi allineati al centro delle gambe anteriori della sedia.

Attorno, il passeggio del sabato sera: coppie con carrozzine, gruppi di ragazze che parlavano a voce troppo alta, uomini con le mani in tasca in cerca di compagnia. Al di là della barriera umana, un fiume di auto procedeva con esasperante lentezza. Dalle enormi casse dello stereo della pizzeria, i Duran Duran cantavano a squarciagola Come Undone.

La tipa bionda finì il concetto:

«E allora io gli ho detto: senti, bello, a me questo corteggiamento in punta di fioretto ha rotto le palle, per cui o si conclude o passo oltre. Che dici, troppo diretta?».

L'altra non poté fare a meno di ridacchiare.

«Be', forse un po'. E lui che ti ha risposto?»

La bionda aggiunse una risata alla masticazione, al gesticolare e al chiacchierare.

«Ah, avresti dovuto vedere la faccia... uno spettacolo.
La bocca continuava con quella smorfia ebete da cicisbeo,
gli occhi gli si sono spalancati per la sorpresa. Ha detto:
certo, certo, scusa, adesso devo andare. Ed è sparito. Credeva di essere negli anni Sessanta, e non nel 1993. Questi
non sono abituati alle donne vere.»

La bruna sospirò:

«Come se ci fossero due soli tipi di donna, quella vera
e quella falsa. Io penso, penso e non riesco mai a parlare.
Ti invidio, sai?».

L'altra la scrutò, trangugiando l'ultimo trancio di pizza.

«Tu invidi me, Mora? Guarda che tra noi dovresti essere tu quella da invidiare. Un marito, un figlio, una famiglia. Bravissima nel lavoro, la cocca del capo, una carriera
splendida davanti. E se non avessi questa assurda fobia
per un minimo di senso estetico, se ti togliessi quel grigio
e ti lasciassi vestire e truccare da me, faresti girare la testa
a chiunque. Quindi, chi vuoi invidiare?»

La bruna fissò il mare che luccicava oltre i passanti e le
lamiere.

«Proprio tu, Teresa, ti fermi alle apparenze? Col compito che abbiamo di guardare al di là di quello che sembra,
non ritieni di poter vedere di più?»

L'altra accese una sigaretta, appoggiandosi allo schienale della sedia.

«Ah, siamo a questo punto. Ascolta, Morozzi: quanto
tempo è che lavoriamo insieme, tu e io? Tre anni, giusto? Inizi del 1990, quindi sì, tre anni pieni. E ci siamo

piaciute subito, siamo diventate amiche, pur diverse come siamo. È così?»

«Sì. Direi anzi che sei l'unica amica che ho. Quindi la migliore. E anche la peggiore, se è per questo.»

«E le amiche si parlano, porca miseria. Io ti racconto tutto, no? Anche quello che non vorresti sentire. E allora perché non mi dici cosa ti angustia?»

La bruna si strinse nelle spalle.

«Forse perché non lo capisco nemmeno io, Bionda. E finché non mi è chiaro, non posso dirlo nemmeno a me stessa. Tutto qui.»

L'altra serrò le labbra. Un gabbiano sovrastò con le proprie strida le chiacchiere dei passeggiatori del sabato sera.

«Scusami, Mora, ma davvero non capisco. Nessuno più di te dovrebbe sapere che siamo in un'epoca di grandi cambiamenti. Il muro non c'è più, Est e Ovest si parlano amabilmente. In America hanno eletto una specie di piccolo Kennedy, giovane e in gamba. Abbiamo le scrivanie piene di rapporti su politici, imprenditori e professionisti che fino a ieri non potevamo nemmeno nominare. In Parlamento ci sono infinite richieste di autorizzazioni a procedere, che se passano succede il finimondo. Cosa può esserci di così tremendo nella tua vita da non avere il coraggio di dirlo a te stessa? Spiegami. Ti prego.»

Sara distolse gli occhi dal mare e li portò sul viso dell'amica. Ancora una volta Teresa rifletté che non mostrare mai il proprio sguardo fosse una necessità per la collega, per rendersi invisibile, altrimenti sarebbe risultata evidente a chiunque. Le pupille tra il verde e l'azzurro, quasi vitree, erano talmente profonde da dare le vertigini.

«Conosci la mia ossessione per la sincerità. I capelli, le scarpe, i vestiti: rivelano sciatteria, disordine, me ne rendo conto; ma io non mi maschero. Non fingo di essere altro. Proprio non ci riesco.»

Teresa fece una smorfia.

«Cioè, mi stai dicendo che io sono una finzione? Guarda che...»

«No, niente affatto. Tu ti mostri per come sei davvero, a tuo agio con te stessa, e tutti ti vogliono bene così, io per prima. Ma io, io... è come se fossi sempre in lotta, lo capisci? Con gli altri, con me. Tu sorridi, io no. Io mi chiedo di continuo se quello che ho davanti è vero oppure no. Anche se sto guardando uno specchio.»

Teresa si alzò, mise dei soldi sul tavolino e prese Sara per un braccio. Trascinandola, fendette la folla, attraversò la strada, indifferente ai rumorosi apprezzamenti degli automobilisti, e arrivò al muretto che separava la via dal mare. Un profumo salmastro, libero dai gas di scarico, le investì come uno schiaffo caldo.

«Ascoltami bene, Sara. Noi siamo una mediazione. Siamo quello che siamo, certo: il nostro carattere, l'educazione, le idee che ci siamo formate. Ma siamo anche le responsabilità che abbiamo, il compito che ci siamo assunte, i legami che abbiamo scelto di avere. Che cos'è questa storia di essere vere o essere finte? Noi per mestiere siamo finte, cazzo! Che vuoi dire, che mi fai marcia indietro da un momento all'altro? Che presto ti vedrò piagnucolare nel cesso in preda a chissà quale crisi di coscienza?»

«No, no. Tranquilla, il lavoro non c'entra niente. Anzi, non mi sono mai sentita tanto equilibrata e serena. Noi smascheriamo le verità nascoste, non può essere mai sbagliato, questo: dal mio punto di vista, chi mente ha sempre torto. No, il mio problema è più... esistenziale, direi. Più intimo, più personale.»

Teresa allungò il capo verso la collega, indagatrice:

«Dimmi la verità, Mora: ma tu scopi?».

Sara sussultò:

«Ma cosa dici, Teresa? Che c'entra? Mica si può ridurre tutto a...».

L'altra sorrise trionfante, come avesse appena ricevuto una conferma.

«Ecco, appunto. Cara mia, ti informo che alla nostra età il sesso risponde a un primario bisogno di equilibrio.»

Sara arrossì:

«Non ho problemi, da quel punto di vista. Ho un'assoluta regolarità di rapporti con mio marito, e...».

«Sarai anche la più brava del mondo, ma un po' di linguaggio non verbale lo so interpretare anch'io. Sei diventata viola, ti trema il labbro, hai irrigidito il collo e non mi guardi in faccia. Dai, Morozzi: pensi di poter prendere la tua amica Teresa per i fondelli?»

Sara tacque, si girò verso il mare.

Teresa attese, poi spalancò gli occhi:

«Dimmi che non è vero. Dimmi che sto facendo il due più due più sbagliato della storia dei due più due. Perché questo silenzio non può significare altro che...».

Sara la zittì:

«Se siamo davvero amiche, Bionda, ti prego. Non insistere. Non ne ho parlato nemmeno con me stessa. Non me la sento di... non ancora. Scusami».

Passò quasi un minuto, di clacson e di canzoni urlate dalle casse della pizzeria. Poi Teresa disse:

«Ascoltami, Mora. Io sono la tua amica. Anche fra trent'anni, fra cinquanta, quando saremo vecchie e rugose – tu, beninteso, perché io sarò bellissima anche allora – sarò ancora la tua amica. E con me potrai parlare sempre. Mi hai capito? E adesso fatti abbracciare un attimo, perché poi ho bisogno urgente di un caffè».

VII

Non finsero di evitare i reciproci sguardi. Non fecero sorrisi ipocriti, e neppure si scambiarono un saluto formale. Non si tesero la mano, tantomeno cedettero a un abbraccio.

Sedettero l'una di fronte all'altra, consapevoli di trovarsi davanti a uno specchio che rimandava a ognuna l'immagine deformata di sé. Prede di quel sottile, doloroso scrupolo di coscienza che si prova quando ci si imbatte in qualcuno di importante che si è però rinunciato a frequentare; ma anche della scomoda sensazione di aver mancato a una promessa, senza ricordare quale fosse.

Teresa disse, brusca:

«Che significa questa cosa, Andrea? Che è, un raduno di residuati bellici? Peraltro ti informo che da circa cinque anni la procedura per convocare incontri urgenti è cambiata, il tuo è stato come un messaggio in bottiglia affidato alle onde».

Il cieco rise alla vetrata:

«Bionda, Bionda... Che bello vedere che non sei cambiata per niente».

Teresa sbuffò:

«Vedere non mi pare la parola giusta... Del resto è pure meglio, così non saprai che sono diventata una vecchia befana triste. Comunque, al contrario di voi due, che vi godete una bella e meritata pensione, io sarei ancora in servizio e avrei da fare. Quindi, se mi dici come posso esservi utile...».

Sara intervenne, pacata:

«Sono qui per le tue stesse ragioni, ho risposto a una chiamata. E Andrea non è il tipo che cerca di riempire una sonnacchiosa mattinata di novembre con la nostra poco allegra compagnia. Quindi porta pazienza e lasciamolo parlare».

Teresa le rivolse uno sguardo velenoso:

«Disse la nonnina dalla penna rossa. Vabbe', dai, tanto ormai siamo qui. Sentiamo».

Andrea pareva godersi la schermaglia. Tossicchiò.

«Mora e Bionda, è sempre uno spettacolo vedervi insieme. Sì, vedervi, Bionda, perché lo sai benissimo che a modo mio vi vedo, eccome. Credi che la tua voce arrochita, il profumo che nasconde il sudore acido, il suono dei movimenti delle mani e dei piedi non raccontino nulla?»

Teresa Pandolfi arrossì e strinse un pugno. Poi lo allentò e rise:

«Va bene, ci sta. Ma io continuo a essere contenta che tu non mi veda le rughe. Parla, su. Abbreviamo questa sofferenza».

Da una valigetta che teneva di fianco alla sedia, Andrea tirò fuori un tablet e lo poggiò sul tavolino.

«Adesso che abbiamo finito con i convenevoli, veniamo al dunque. Se funziona come allora, l'Unità sarà stata anche soltanto marginalmente chiamata in causa per l'incidente aereo di ieri, il light jet in volo da qui a Olbia. Giusto?»

Teresa si indurì.

«Ignoro di cosa parli, Andrea. E se pure non lo ignorassi, sai bene che non potrei dire nemmeno una parola.»

Sara si fece triste.

«Dubito che Andrea voglia sapere qualcosa da te, Bionda. Credo piuttosto che voglia dircela.»

Andrea annuì soddisfatto, come un maestro davanti a una scolara perspicace:

«E tu come fai a dirlo, Mora? Sentiamo».

«Primo, l'atteggiamento: hai l'aria di aver fatto una scoperta e fremi per rivelarcela. Poi, il tablet: vuoi mostrarci qualcosa, perché se avessi voluto solo farcelo ascoltare avresti portato un semplice registratore. Terzo, deve trattarsi di una faccenda che riguarda in qualche modo il nostro passato: altrimenti non avrebbe avuto senso chiamare anche me. Devo andare avanti?»

«No, no, è sufficiente. Ed è corretto, devo dirvi qualcosa, e subito, perché mi pare piuttosto rilevante. E perché con ogni probabilità ha un significato importantissimo proprio per noi tre.»

Allungò le mani sul tavolino, sistemò il tablet in maniera che fosse ben visibile, attivò il pulsante e mosse con precisione il dito sullo schermo. Sara trattenne il fiato, per l'inquietante sensazione che l'uomo scorgesse con chiarezza quello che aveva davanti; si domandò quanti frustranti tentativi andati a vuoto fossero stati necessari per acquisire tanta sicurezza.

Dallo schermo partì uno spezzone di telegiornale. Perfino Sara – che vantava una certa indipendenza dal mezzo televisivo – aveva avuto occasione di seguirlo a casa di Viola. Era l'intervista a Pierfelice Ribaudo, l'imprenditore che era a bordo dell'aereo scomparso in mare. Una giornalista gli stava chiedendo quale fosse la ragione del suo viaggio.

Andrea ascoltava rapito, quasi fosse una sinfonia celestiale. Teresa si spazientì.

«Madonna, Andre', lo conosco a memoria questo video, l'avrò visto un milione di volte da ieri, mi dà la nausea! Ma davvero tu non...»

L'uomo alzò la mano, bloccando il discorso a metà. L'imprenditore stava inveendo contro un Paese colpevole di non assicurare collegamenti regolari con una così vasta porzione di territorio, e si interrogava su quale fosse in realtà la destinazione delle tasse pagate dagli italiani. Quando ebbe finito, si girò e salì sulla scaletta, dove in cima lo aspettava un pilota dall'aria frettolosa.

Andrea cercò conferme nelle colleghe:

«Avete sentito? Vi rendete conto?».

Sara e Teresa si fissarono, perplesse. Bionda disse:

«Le solite cose, ti posso assicurare che non c'è niente di diverso da quello che diceva in ogni circostanza. Era uno *contro*: contro la politica, contro l'economia, contro i media, contro tutto. Non perdeva occasione di...».

«No, Bionda. Non questo. Ribaudo non c'entra niente. Ascoltate bene.»

48

Mosse le dita sullo schermo, e stavolta partì un file audio. Di nuovo le domande, di nuovo le risposte. E di nuovo le due ex colleghe che si guardarono sorprese. Teresa fece roteare l'indice sulla tempia.

Andrea rise:

«No, no, non sono diventato pazzo. E voi siete piuttosto deludenti. Vi siete arrugginite. Facciamo così: vi offro una soluzione, da me ottenuta con un interessante software di editing audio».

Avviò un'applicazione e un file, dal quale erano escluse le voci di Ribaudo e dell'intervistatrice. Rumori di fondo, i motori a basso regime, scalpiccio, frasi smozzicate di persone all'interno del campo di ricezione del microfono. Una frase pronunciata da una donna: «No, grazie, la tengo con me». Parole di uomo indistinte, poi ancora: «La porto con me in cabina, grazie». Tono più deciso.

Catapano si mise in attesa. Dopo un attimo di silenzio, Sara disse, piatta:

«Scusami, Andrea. Potrei rivedere solo il video, senza il sonoro?».

«Ecco la domanda giusta. Quella che mi aspettavo da te, Mora.»

Le dita agili sullo schermo, e partì il video. Sara si piegò in avanti, il naso che quasi sfiorava il tablet, gli occhi ridotti a due fessure. Teresa, suo malgrado interessata, spostò la sedia per guardare meglio.

Alle spalle di Ribaudo, quasi ai margini dell'inquadratura, si vide il pilota – lo stesso che poi avrebbe atteso l'imprenditore in cima alla scaletta – domandare qualcosa a una donna su una borsa di medie dimensioni che portava a tracolla. Un suo trolley era stato già sistemato nel vano bagagli ancora aperto. La donna, resa muta dall'assenza di volume, fece un comico gesto con le mani quasi avesse temuto uno scippo da parte dell'uomo, negando vigorosamente con la testa.

Era una signora di una certa età, all'incirca sui settanta, gli occhi nascosti da enormi lenti da sole, l'acconciatura coperta da un foulard. Sembrava uscita da un film d'epoca, e l'impressione era accentuata dal tailleur che indossava, fuori moda da almeno vent'anni.

Sara disse:

«Non ci credo. Non può essere».

Andrea parve di nuovo un professore che sollecitava la risposta esatta:

«Dimmi, Mora. Anzi, dicci che hai visto».

Teresa si arrabbiò:

«Oh, sentite, non posso perdere tempo con questi giochini! Se avete qualcosa da dire, ditelo e basta!».

Sara sprofondò nei ricordi:

«Le mani sulla borsa, come gliela stessero rubando. Il modo di scuotere la testa, di stringere le labbra... Un po' piegata in avanti, come avvertisse un dolore al petto...».

Andrea annuì, e continuò:

«E la voce decisa ma con una vena di incertezza, un tremolio ogni fine parola... E il rialzo del tono di una nota quando dice "con me", lo ha ripetuto due volte. Sono andato a controllare, ho ascoltato quelle cassette per tutta la notte. Ne sono certo, senza margine di errore. È lei».

Teresa urlò, esasperata:

«Ma lei chi, cazzo? Mi volete far capire di chi state parlando, dannazione?».

Sara la fissò, attonita:

«Biancaneve. Quella donna è Biancaneve».

VIII

Nella stanza gravava una nuvola di fumo che non accennava a diradarsi, nonostante qualcuno andasse a turno alla finestra per aprire uno spiraglio; poi qualcun altro si affrettava a richiudere perché la primavera non si decideva a riscaldarsi, specie a quell'ora della notte.

Era molto tardi, in effetti; ma nessuno manifestava disagio, stanchezza o voglia di tornare a casa. Quattro uomini e due donne in ordine sparso: in piedi, appoggiati al mobile stipato di fascicoli, appollaiati sui braccioli di poltrone malandate, o ancora seduti attorno al tavolo tondo che fronteggiava la scrivania dietro cui c'era Massimiliano Tamburi, il capo dell'Unità di intercettazione e ascolto da lui fondata e gestita all'interno dei Servizi.

La struttura era anomala, così come la materia che trattava; ma d'altra parte, come diceva Tamburi, quale unità segreta non è anomala? Certo, era dislocata e periferica rispetto agli uffici dei ministeri; e nemmeno era incasellabile in una delle forze armate, dalle quali tuttavia erano stati attinti i componenti. Perfino l'operatività era oscura, sospesa com'era tra l'esegesi e la scienza, con rapporti che avevano valore perlopiù indicativo e quasi mai risolutivo.

Ma era un fatto – e lo stesso Tamburi non aveva mancato di sostenerlo quando aveva ottenuto i fondi per creare un organismo stabile con tanto di ufficio – che nella totalità dei casi le loro interpretazioni facevano centro.

Erano anni difficili, e le guerre che si combattevano al buio non erano meno cruente delle altre. A parlarsi in luoghi segreti, sussurrando e sfuggendo a microfoni e sguardi indiscreti, erano mafiosi, terroristi, agenti di Servizi stranieri; e i mondi si intrecciavano e si combinavano secondo rotte carsiche spesso incomprensibili. Tamburi e i suoi, che nei primi mesi di attività erano stati oggetto di derisione più o meno esplicita, adesso venivano chiamati per visionare filmati sgranati o per decifrare intercettazioni ambientali appena percettibili perché registrate in stazioni, aeroporti, strade trafficate. L'Unità e le capacità dei suoi addetti finalmente erano intese al pari di una risorsa.

In quella primavera del 1993, tuttavia, le cose stavano cambiando in fretta. Le relazioni fra imprenditoria e politica erano divenute il fulcro dell'impegno di ogni procura, e pareva che una ragnatela fluorescente, fino ad allora invisibile, fosse comparsa alla vista e avviluppasse il Paese in una morsa.

Tamburi aveva dovuto assegnare a quelle indagini la totalità degli addetti; i rapporti sulla sua scrivania si moltiplicavano e non si riusciva a tenere testa all'enorme mole di richieste. Le riunioni serali, in precedenza poco più di un saluto, erano adesso un acceso confronto per stabilire le priorità.

Massimiliano sollevò una mano per chiedere un po' di silenzio. Era alto, muscoloso, poco più che cinquantenne.

I capelli brizzolati e scomposti, le maniche della camicia arrotolate sugli avambracci, il colletto sbottonato sulla cravatta allentata e le lenti da lettura sulla punta del naso gli conferivano un'aria stropicciata e affascinante da professore di Fisica.

«Per favore, per favore: se parliamo tutti insieme nessuno capisce niente, non usciremo mai più da qui. Sfinzi, che stavi dicendo?»

L'uomo che Tamburi aveva interpellato era un ragazzone riccioluto, barba e profilo greco. Veniva dai carabinieri, e pur essendo acuto e intelligente era portato all'impulsività. Andava tenuto d'occhio, diceva Massimiliano ad Andrea quando si ritrovavano a pranzo nella trattoria all'angolo.

«Capo, le audiocassette che sono arrivate in procura dall'Emilia-Romagna sono una bomba. Mi domando come sia possibile nutrire dubbi sull'opportunità di mollare ogni cosa e metterci a lavorare tutti su questo. Con Spada abbiamo rinunciato a dormire e ad andare a casa, ma siamo a meno di metà. Se tardiamo ancora, quelli fiutano l'indagine e spariscono. Non è così, Spada?»

Il collega annuì. Era l'unico dei presenti a sembrare appena giunto al lavoro, cravatta annodata alla perfezione, pochette nel taschino della giacca, capelli tirati all'indietro. La provenienza dalla guardia di finanza ne faceva l'esperto in materia contabile. Tossicchiò compunto come il maggiordomo di una commedia inglese:

«Se mi posso permettere, signor colonnello, è proprio come dice il collega Sfinzi. Il filone sembra promettente, in più di un nodo emerge chiaro il riferimento agli appalti

pubblici e alla privatizzazione dei servizi di nettezza urbana. Se avessimo più braccia potremmo fare una verifica approfondita sui bilanci delle aziende interessate, incrociando le entrate e le uscite di cassa e i movimenti sospetti di contante».

Andrea Catapano, che aveva in tragica antipatia Spada e il suo tono piatto e lamentoso da burocrate miope, sbottò:

«Ma è compito nostro, questo? Cioè, dobbiamo fare qui il lavoro delle procure? Se possiamo, decodifichiamo le registrazioni e mandiamo un bel rapporto in triplice copia al magistrato, passando poi ad altro. Non capisco per quale motivo ci dovremmo pure mettere a studiare i bilanci».

Marco Sfinzi alzò la voce:

«Perché possiamo intestarci la scoperta più importante delle indagini locali sui rapporti illeciti tra politica e imprenditoria, ecco perché! Altrimenti sarà il successo di altri, e noi saremo sempre e solo quelli che hanno trascritto qualche audiocassetta e nulla più. Dobbiamo agire, sennò questi capiranno che aria tira e cominceranno a evitare ogni forma di affare. Resteremo con un pugno di mosche, ve lo dico io».

Tamburi si grattava la fossetta sul mento, come capitava se era incerto sulla decisione da prendere. Era vero che l'indagine affidata a Sfinzi e a Spada era la più allettante che avevano sottomano, ma l'idea di destinarvi tutte le risorse gli sembrava sbagliata.

Si rivolse al lato della stanza dove c'erano le due ragazze. Teresa Pandolfi, in piena luce, non si perdeva una sillaba e cercava spesso di intervenire. Sara Morozzi, al contrario,

*se ne stava a ridosso della parete, in penombra. Qualcosa
in quella donna gli infondeva una strana inquietudine, un
senso di incompiutezza che Tamburi non sapeva valutare;
e se uno come lui non riusciva a soppesare i propri sentimenti, be', il problema c'era. E pure bello grosso.*

«Pandolfi, lei di che si sta occupando?»

*L'idea di mollare la strada tortuosa che stava percorren-
do con Sara e Andrea per poter lavorare invece con Marco
Sfinzi – suo obiettivo sessuale primario – su un'indagine
assai più prossima a una felice conclusione, solleticava fin
troppo l'ambizione di Teresa.*

*«Capo, a dirle la verità, credo che la sorveglianza a que-
sto Miccio non porti a molto. Gli stiamo addosso da venti
giorni e, al di là di qualche viaggetto a Roma e di alcune
gitarelle in comune, non è venuto fuori niente di rilevante. Per carità, magari è questione di tempo, ma...»*

Tamburi fece una smorfia di insofferenza:

*«Tempo che, a quanto pare, non abbiamo. Lei, Moroz-
zi, che ne dice?».*

Dall'ombra venne fuori la voce bassa e quieta di Sara.

*«Non saprei dirle, dottore. L'osservazione di Miccio e
della sua segretaria, il loro modo di parlarsi, l'atteggiamento, anche quando sono da soli, mi danno l'idea di
un'enorme tensione non giustificata dalla situazione e dai
contatti che hanno.»*

La pazienza di Marco andò a farsi benedire:

*«Cioè: noi perdiamo la polpetta più succosa che ci sia
capitata in tre anni che siamo qui perché abbiamo la sensazione che un imprenditore di livello medio-basso e la
sua segretaria siano un po' tesi? Magari lui se la scopa e lei*

vuole dirlo alla moglie, per esempio. Oppure sta in mano alla camorra, o roba del genere. E noi, invece di seguire una pista certa, proviamo a capire di che ampiezza sono le corna della signora Miccio?».

Sara lo fissò, inespressiva:

«Miccio e la segretaria non hanno una relazione, abbiamo verificato. C'è sotto dell'altro, di pesante e che ha a che fare con l'azienda. D'altronde, abbiamo cominciato a osservarli perché la società di import-export di Miccio lavora di concerto col ministero degli Esteri, a valere sugli accordi internazionali, e ci sono stati movimenti di contanti in uscita di una certa entità».

Spada specificò, con aria di sufficienza:

«Sì, ma sono appunto movimenti verso l'estero. Noi invece stiamo registrando tangenti pagate in Italia. Mi pare qualcosa di più diretto, non credi, Mora?».

Tamburi sospirò e si rivolse ad Andrea. Era il suo riconosciuto braccio destro, l'unico in cui riponeva un'assoluta fiducia; per questo ingiungeva un passaggio nelle sue mani di ogni indagine in corso, per poi ricevere da lui un rapporto dettagliato. L'unico problema era la malattia dell'uomo, il quale stava ormai progressivamente perdendo la vista.

«E tu, Andrea, che ne dici?»

Catapano fece spallucce:

«Ritengo anch'io che l'osservazione di Miccio possa dare frutti. E i rapporti di Morozzi e Pandolfi, soprattutto sulla segretaria, nome in codice Biancaneve, fanno immaginare qualche connessione con Florio, il referente politico che stiamo seguendo. Ma devo ammettere che la faccen-

da delle audiocassette dall'Emilia-Romagna sembra più...
matura, ecco. Forse dovremmo concentrarci su quello».

Teresa sorrise, facendo gli occhi dolci a Marco che gonfiò il petto come un pavone.

Sara provò a dire la propria:

«Ma se avessimo almeno un'altra settimana, magari potremmo...».

Tamburi l'interruppe, definitivo:

«Occupiamoci delle audiocassette e dei bilanci delle aziende, poi torneremo su Miccio. Adesso andate a casa, ché è tardissimo».

IX

Teresa era rimasta a bocca aperta. Attraverso la vetrata, arrivò da un TIR un lugubre suono di tromba simile al muggito di un bisonte morente.

«Mi state dicendo che da un mezzo fotogramma sfocato e da una frase smozzicata siete in grado di riconoscere una tizia oggetto di un'indagine secondaria di trent'anni fa?»

Andrea rispose, pacato:

«E tu hai il minimo dubbio, Bionda, che Mora e io siamo in grado di farlo? Io non ero sicuro al cento per cento, è ovvio; per questo ho atteso che Mora dicesse la sua. E come vedi, siamo giunti alla stessa conclusione».

Pandolfi non era disposta a cedere terreno:

«Ma voi non credete che io abbia passato l'intera serata di ieri e buona parte della notte a esaminare le liste di chi era a bordo, per escludere ogni ipotesi di attentato suicida? Non c'era nessuno che avesse un nome censito, tantomeno Biancaneve, che in realtà si chiamava… si chiamava».

Sara fu pronta a compensare l'incertezza della memoria dell'amica:

«Bianco. Fulvia Bianco. Da cui Biancaneve. E l'indagine era stata battezzata...».

Andrea si inserì, come ricordando vecchi amici:

«Il Bombardiere. Perché il nome del suo capo era Miccio, Dante Miccio. Certo che ne avevamo di fantasia, all'epoca...».

Teresa riprese, decisa:

«I passeggeri erano sei, e fra loro non c'era nessuna Fulvia Bianco. Ovviamente abbiamo focalizzato l'attenzione su Ribaudo, che era a bordo con l'assistente e un consulente, ma...».

Sara la interruppe, secca:

«Ascolta, Bionda. Rammenti cosa dicevamo sempre? Le coincidenze non esistono. Almeno, non nel nostro mestiere».

L'altra le rivolse uno sguardo velenoso:

«Nel *mio* mestiere, Mora. Tu e l'esimio signore che ci fa compagnia non fate più il mio mestiere. Che, voglio dirtelo con chiarezza, è anche profondamente cambiato da quando c'eravate voi. Adesso lavoriamo coi software, incrociamo le parole, sul campo non andiamo più. E soprattutto facciamo quello che ci dicono di fare, punto».

Andrea esibì una smorfia:

«Permettimi di correggerti, Bionda. Queste sono *le modalità* del lavoro. Quelle cambiano sempre, e da sempre. Ma dimmi, per curiosità: è cambiato anche lo scopo? Cioè, non cercate più quello che è accaduto in realtà, il vero motivo delle cose? Perché allora, scusami: ho sbagliato a chiamarti».

Cadde un silenzio di tomba.

Sara si concesse un ghigno: scacco matto.

Teresa ringhiò, frustrata:

«Primo: è stato un incidente. I satelliti non hanno riscontrato nulla, né esplosioni né dirottamenti, e ci sono le registrazioni dei messaggi al controllo del traffico aereo, c'è stata un'avaria ai motori. Secondo: se non fosse stato un incidente, con ogni probabilità l'obiettivo sarebbe Ribaudo, che era un rompipalle e dava fastidio a diversi poteri forti. Terzo: in trent'anni, non risultano evidenze successive di Biancaneve, Bombardiere o come cazzo si chiamano questi catorci di Tangentopoli. Quindi fammi capire, Andrea: cosa vorresti che facessi?».

Rispose Sara, che parlò quasi riflettesse tra sé:

«Però... Però, se una prende un aeroplano come quello, che immagino costi i suoi soldi, cambiando pure il nominativo con cui si registra, qualcosa di strano lo stava facendo. Però, se una sta attenta a non mollare una borsa di quelle dimensioni in un mezzo così piccolo, col vano bagagli a vista e senza possibilità di smarrimento, qualcosa di importante nella borsa ce l'ha. Però, potrebbe essere intelligente approfittare della presenza di Ribaudo per liberarsi invece di qualcuno di anonimo ma molto, molto scomodo».

Andrea commentò:

«Corretto, Mora. E sarebbe interessante capire cosa hanno fatto Biancaneve e il Bombardiere in questi anni. Magari non ci sono più connessioni tra loro e stiamo perdendo tempo. Magari la signora aveva lasciato il marito e venduto la casa, e nella borsa c'erano i soldi con cui voleva rifarsi una vita in Costa Smeralda. Magari in un paio d'ore tutto si risolve in una bolla di sapone, e ci siamo solo rivisti in nome dell'antica amicizia».

Teresa sbottò:

«Però e magari. Avete solo questo: dei *però* e dei *magari*. Ve lo devo ricordare io che si lavora sulle evidenze, sui fatti, e non per tesi? Ho fatto una domanda e vorrei una risposta: cosa vorresti che facessi, Andrea? Perché mi hai chiamata? So dedurre anch'io, sai? Mora è qui per darti conferme, ma io?».

L'uomo tacque. Con gesti misurati spense il tablet e lo ripose nella borsa rimasta a terra. Poi quasi sussurrò:

«Lo sai meglio di me, Bionda. Il nostro non è un mestiere, non lo è mai stato. Massimiliano, che era un ottimo capo, andava a cercarsi quelli che erano come lui. Li trovava nei carabinieri, nella polizia, nella guardia di finanza, nelle altre sezioni dei Servizi. Li riconosceva, era un mostro in questo. Uno diverso dall'altro per carattere, per età, per mentalità: ma tutti, sempre, testardi e diffidenti. Tutti ansiosi di guardare oltre, di capire cosa ci fosse dietro l'apparenza». Tacque di nuovo, e altri bestioni di lamiera muggirono in lontananza. Poi riprese: «Io so che c'è qualcosa di strano nella presenza di Biancaneve su quell'aereo. Mi ricordo di lei, e mi ricordo di quell'indagine: era molto promettente, e se non ci fossimo fatti catturare dall'inchiesta sulle audiocassette dall'Emilia-Romagna... Ora, puoi scegliere di non fidarti delle mie sensazioni o di quelle di Mora; ma nessuno più di te sa che sbagliamo di rado».

Teresa si alzò e passeggiò nervosa, avanti e indietro. Era un'abitudine che risaliva a quand'era ragazzina, e tutti nell'Unità non mancavano di notarlo. A un tratto si fermò.

«D'accordo, vediamo di che si tratta. Ma non posso avviare niente di ufficiale, sia chiaro. Non vado certo a dire a quelli di Roma che due pensionati dell'Unità credono di aver riconosciuto, forse, una tizia che trent'anni fa poteva, in un'indagine peraltro abortita, essere il personaggio collaterale di una faccenda periferica di tangenti. In un paio d'ore mi ritroverei anch'io ai giardinetti, senza però avere un nipotino né velleità informatiche.»

Sara corrugò la fronte, lasciando scivolare l'ironia:

«E allora cosa intendi con "vediamo di che si tratta", se non vuoi denunciare la presenza di Biancaneve su quell'aereo?».

«Semplice: che dovrete occuparvene voi. Giacché vi divertite così tanto a rievocare i bei tempi andati e vi sentite ancora operativi, seguitela voi questa pista.»

Sara si voltò verso Andrea, quasi potesse incrociarne lo sguardo.

«Ma non era certo per questo che Andrea ci ha fatto venire qui, credo. Penso che volesse solo avvisare, e…»

L'uomo sembrava osservare assorto il passaggio ininterrotto dei mezzi pesanti. Aveva preso a piovigginare, la luce era diventata di piombo. Disse, piano:

«La verità, Mora. Non importa in quale funzione, non importa servendo chi e non importa con quali conseguenze. La verità. È quello che il tuo uomo, il mio amico, la persona che reclutò Bionda e tutti noi ha sempre detto e sempre cercato. La verità, a ogni costo. Questo rendeva la nostra struttura diversa da ogni altra, e allo stesso tempo rendeva noi necessari. Va bene, per me. E credo anche per te. Ma tu, Bionda? Tu che farai? Non come capo della tua unità, intendo. A titolo personale».

Teresa trasalì, quasi quelle semplici parole l'avessero colpita su una guancia.

«Farò la mia parte. L'ho sempre fatta e la farò anche stavolta. Utilizzando gli strumenti che ho e anche quelli che non ho. Perché io c'ero, allora. E continuerò a esserci.»

X

Sara tornò a casa guidando piano. Aveva programmato di passare da Viola per stare un po' con il bambino, ma il corso della giornata era cambiato alla radice.

La periferia selvatica delle mandrie di camion si trasformò man mano in quella grigia della rivoluzione industriale perduta, poi nel centro intasato di speranze e di traffici. Sara si inerpicò per il quartiere dei vicoli, un immenso, disordinato intestino asmatico pieno di ernie e di anse, percorse una strada antica ed entrò nella pretenziosa zona residenziale priva di storia in cui viveva. La mente ripeteva: «Biancaneve». Biancaneve e il Bombardiere, che riemergevano dalla notte dei tempi.

Si chiese come mai li ricordasse, una parentesi brevissima all'interno di trent'anni di facce e di gesti da interpretare, una serie infinita di espressioni da tradurre in emozioni. E la mente le fornì, avendo udito il cuore, un'immediata risposta.

Parcheggiò nel primo posto libero che trovò; entrò nell'androne e non prese l'ascensore, arrivando al sesto piano un gradino alla volta, la stessa cadenza fino all'ultimo. La porta, le chiavi sulla mensola, il divano.

Attese la notte. Non lesse, non ascoltò musica, non cucinò, nemmeno mangiò. Se ne stette seduta, la schiena dritta, le mani in grembo. Dal piano di sopra, o forse da quello di sotto, giungeva il suono indistinto di un televisore acceso.

Biancaneve, e il Bombardiere.

Non aveva detto ad Andrea e a Teresa perché proprio quell'indagine avviata però non conclusa le era rimasta tatuata nell'anima. Era come la prima canzone, o la prima gita al mare, o il primo viaggio in scooter per la gente normale. Per le coppie normali.

Durante le ore che scorrevano lente, Sara ricordò. Gli occhi, soprattutto. Quegli occhi che cambiavano colore, per la luce e le passioni. Quegli occhi che svelavano i pensieri in maniera a lei chiarissima. Quegli occhi in cui avrebbe letto la paura della morte imminente, e l'assenza di ogni rassegnazione.

Mentre il giorno cedeva al pomeriggio, e il pomeriggio alla sera, davanti a Sara transitarono tutte le tinte dell'arcobaleno, ognuna delle quali legata a una reminiscenza, reperti di un amore che aveva avuto un inizio ma che mai avrebbe avuto una fine.

Biancaneve, e il Bombardiere.

Distruggilo, le aveva detto. Promettimi che lo farai, amore mio. E lei a fissarlo, leggendogli in volto la sincerità e la consapevolezza ma non volendo leggere il dolore che ne squarciava i lineamenti. Devi farlo. Per me è stato un'assicurazione sulla vita, l'arsenale che mi è servito per vivere in pace i miei anni con te. Per te sarebbe solo una condanna a morte.

Distruggilo, perché là sotto c'è l'intera elencazione delle turpitudini peggiori, dei tradimenti, delle vigliaccherie, delle corruzioni e delle concussioni di un intero Paese negli anni più bui e difficili della sua storia.

Distruggilo, le aveva detto, perché avrei dovuto farlo io e ho rinviato, nella speranza di rubare un po' di giorni, di mesi accarezzandoti la mano, sfiorandoti il corpo. Distruggilo tu, perché io ero impegnato a capire che luogo fosse la morte, nella certezza che non possa esistere un paradiso se devo lasciarti qui.

Lo pensava davvero. Era sincero. Voleva che andasse a distruggere il suo archivio; ma lui aveva i minuti contati, Sara si tratteneva anche dal recarsi in bagno per paura che morisse mentre lei non c'era, come avrebbe potuto spostarsi di sotto per eliminare tutto? Chi le avrebbe restituito quelle ore, quelle terribili, meravigliose ore in cui ancora si sentiva gli occhi del suo uomo addosso, benché la loro colonna sonora fosse ormai il rantolo dell'agonia?

E dopo la fine, pensò mentre l'oscurità si andava impadronendo della strada e degli oggetti, quell'archivio era l'unica cosa che le rimaneva di lui. Ciò che per il resto del mondo erano filmini, fotografie, bomboniere, palle di vetro con la neve. Era lui senza di lei, giovane e pieno di ideali; e lui con lei, la forza e la convinzione di cui si era innamorata e per le quali aveva deciso di vivere senza incertezze.

A mezzanotte, Sara si alzò dal divano. Percorrendo sicura la casa al buio, andò nel ripostiglio e spostò un angolo del battiscopa. Le dita afferrarono una chiave contrassegnata da una targhetta in plastica azzurra. Sara passò per la mensola e prese anche le chiavi di casa, verificò attraverso lo spioncino che sul pianerottolo non ci fosse nessuno ed entrò nell'ascensore. Piano meno uno.

Il neon sfrigolò e si accese. Sesta porta in ferro. Un ambiente quadrato, una lampadina nuda pendente dal soffitto. Casse di libri, un appendiabiti con vecchie giacche da uomo, quadri accatastati, una bicicletta arrugginita. Un armadio addossato al muro.

Lo aprì: cappotti e giacconi, una zaffata di ricordi pesante come una montagna di nostalgia. Di lato, un loden verde, antiquariato puro. Dietro il loden, una manopola a combinazione.

Sai cosa devi comporre in senso orario e antiorario, amore mio? Ora, giorno, mese e anno di quando sei entrata da quella porta e mi hai detto: «Morozzi Sara, vicesovrintendente della polizia, voleva parlarmi, signore?». Non potevo che immaginare questa sequenza, per la combinazione. Il momento preciso in cui la mia esistenza è cambiata per sempre.

Un altro ambiente quadrato, più grande. Un aeratore, un deumidificatore con tanto di display. Sara non lo guardò, controllava almeno due volte alla settimana che tutto funzionasse. E aveva imparato a riparare da sola ogni meccanismo: non ci verrà mai nessuno qui sotto, amore mio, almeno questa parte di promessa posso mantenerla.

Sara osservò le pareti zeppe di cartelline azzurre senza etichette, dal pavimento al soffitto, illuminate da faretti. Lo stanzone era stato il garage del condominio a fianco, acquistato e murato, il motivo principale per il quale era stato scelto quell'appartamento. Distruggilo, amore mio. Promettimelo.

Sara si avvicinò a un settore della parete di fronte. Il metodo di classificazione era un complicato gioco di riferimenti e richiami, in bilico tra il cronologico, l'alfabetico e la rilevanza. Per sapere dove mettere le mani, era necessario conoscere a fondo la persona che aveva organizzato i dossier.

Fulvia Bianco, detta Biancaneve, era un foglio a doppia facciata all'interno della più corposa cartellina dedicata a Dante Miccio, detto il Bombardiere. Sara si sistemò sulla sedia appoggiata a un tavolino al centro dell'ambiente, per leggere. La regola che si era data era che nessun documento uscisse mai di lì.

Nell'ora successiva si alzò un paio di volte per prendere altre carte e inquadrare i personaggi all'interno degli eventi. Per tutto il tempo sentì la voce di Massimiliano, quel tono ironico e tenero col quale le indicava le vie della comprensione, indirizzandola ma lasciando che fosse lei a muovere ogni passo.

Il campanello d'allarme squillò alle due e trenta del mattino, quando nelle dichiarazioni rese da un collaboratore di giustizia almeno un paio di anni dopo la famosa riunione sulle audiocassette dall'Emilia-Romagna emerse un riferimento strano.

Sara aveva gli elementi per tornare nel presente. Rimise a posto, spense la luce e sussurrò la buonanotte all'unico grande amore della sua vita.

XI

L'ispettore Davide Pardo fissava disgustato il proprio cane, chiedendosi come l'animale potesse abdicare alla dignità in quella maniera ridicola.

Non che avesse mai avuto col quadrupede un rapporto facile. Sin da quando, nel vano e disperato tentativo di trattenere l'ennesima fidanzata in fuga, si era fiondato sotto la pioggia nel negozio di animali all'angolo e aveva visto quel dolcissimo batuffolo nero, bianco e marrone fissarlo da un vetro, pagandolo un occhio della testa a un truffatore di origine indiana che sorrideva mellifluo.

La fuga della fidanzata era stata addirittura accelerata; e lui era rimasto con Boris, la cui garanzia con diritto di restituzione era già scaduta dopo un'ora. Poco male, aveva pensato Pardo: un uomo con un cagnolino da solo ai giardinetti è una calamita per le ragazze.

Il cagnolino aveva però cessato di essere tale dopo mesi tre, rivelandosi un Bovaro del Bernese fuori taglia con l'appetito di un boa constrictor, e mostrandosi incline allo sci nautico più che alla passeggiata acchiapparagazze. Si era presto impadronito dell'appartamento predisposto dal povero Pardo per una prospettiva familiare costantemente frustrata, e il poliziotto era così divenuto l'umano del cane.

L'ispettore non era un *profiler*, ma aveva conosciuto molti camorristi nella sua carriera, e poteva asserire con certezza che Boris ne condivideva ogni aspetto caratteriale. Insofferenza alla disciplina, tendenza alla prevaricazione, predisposizione alla malignità e, soprattutto, nessuna sensibilità verso i sottoposti: dall'abitudine a dormire in diagonale sul letto, costringendo Pardo a dolorosissimi risvegli, allo spazzolare i suoi costosi tre chili di carne al giorno dedicandosi poi all'assalto al cibo di Pardo, inducendo lo stesso a usare la forchetta come D'Artagnan la spada.

Quando però si trovava in presenza del piccolo Massimiliano, uno scriccioletto che non gli arrivava al garrese, la belva si riduceva a un cucciolo innocente. Mansueto come un agnellino, Boris consentiva al bambino di camminargli addosso, di cavalcarlo, di tirargli le orecchie e perfino di raccontargli le favole, fingendo di comprendere ciò che gli farfugliava. A volte commentava perfino, con guaiti sommessi.

La cosa irritava oltremodo Pardo, perché al malessere esistenziale generato dalla bestia si aggiungeva una strisciante, pungente gelosia per l'attenzione dedicatale da Massimiliano, che il poliziotto aveva elevato a supplente permanente del figlio negatogli dal destino cinico e baro.

Viola acuì la sensazione, commentando perfida:

«Quando c'è Boris, per Massi non esiste più nessuno. Grazie di averlo portato, Davide».

L'ispettore grugnì, torvo:

«Figurati. Era l'unico modo per riuscire a parlare un po', liberandosi di entrambi. Allora, Sara, dicci pure le novità».

La donna aveva passato la prima parte della mattinata a colloquio con Andrea, condividendo le informazioni tratte dall'archivio di Tamburi. Avevano anche concordato una strategia, che comprendeva l'aiuto di Pardo e di Viola; il cieco non era propenso ad accettare la collaborazione di due irregolari, legato com'era alla segretezza delle operazioni e all'affidamento delle stesse a elementi di provata professionalità, ma dovette ammettere che senza un apporto esterno i tempi si sarebbero allungati, col rischio di perdere l'occasione di capire cos'era accaduto in realtà.

Sara mise perciò Pardo e Viola al corrente di tutto. Tacque dell'archivio, limitandosi a riferire dell'operazione risalente al 1993.

Quando finì di parlare, il più perplesso era Pardo.

«Ricapitoliamo: un cieco guarda il telegiornale, e già siamo in una barzelletta, e riconosce una avendola sentita parlare trent'anni fa?»

«Non un cieco: Andrea Catapano. Gli ho visto fare molto più di questo. E comunque non solo lui: anch'io. E non mi sono sbagliata.»

Viola era eccitata:

«Mamma mia, che storia! Quindi secondo te non solo non è stato un incidente, ma nemmeno volevano far fuori Ribaudo, è così? Alla TV non si parla d'altro, ti posso recitare a menadito la vita e le imprese di quel tizio, costretta come sono a stare qui a guardare quel dannato schermo tutto il giorno».

Pardo non intendeva recedere dal ruolo dello scettico. L'aspetto massiccio e irsuto, i capelli disordinati sulle spalle, il collo tozzo e la mascella larga lo rendevano simile a un orso pronto a ritirarsi nel bosco.

«Illazioni. Semplici illazioni, basate sul niente. Uno sente una voce, e subito si grida al complotto internazionale. Guarda che gli aerei cadono, eh? Capita, mica è una novità. Sarà stato un incidente, colpa di nessuno, un'indagine di polizia non si fa mica così. Ci si basa sui fatti, sulle evidenze.»

Viola lo fissò, velenosa:

«Ecco perché non scoprite mai niente e ve la fanno sotto il naso. L'altra sera seguivo proprio una trasmissione, *Il delitto perfetto*, che elencava i casi di omicidio insoluti: sono centinaia!».

Pardo provò a ribattere, ma Sara ritenne di intervenire, conciliante:

«Certo, magari sarà come dici. Però ammetterai che si tratta di una strana coincidenza, no? E quindi con Andrea e Teresa abbiamo pensato di avviare una, diciamo così, indagine collaterale. Niente di ufficiale, più una curiosità. Per vedere se siamo arrugginiti, ecco. Ma se non ve la sentite di darci una mano, per carità…».

Viola balzò:

«Ma scherzi? Certo che ci sto, ci mancherebbe. Non vedo l'ora di provare il nuovo teleobiettivo, se potrà servire. E mi metto pure a dragare la rete: se c'è qualche cosa da tirare fuori, la trovo.»

Pardo si succhiava i baffi, perplesso:

«Ammettendo e non concedendo, sia chiaro: cosa dovrei fare io?».

Sara conosceva il mondo e soprattutto la personalità maschile; quindi disse, pronta:

«Be', il tuo apporto sarebbe fondamentale. Credo anzi che senza il tuo aiuto non si potrebbe condurre nessuna indagine. Si dovrebbe capire perché e come Biancaneve ha cambiato identità, sappiamo per certo che l'ha fatto in quanto il suo nome non era sulla lista dei passeggeri. E servirebbero pure notizie dell'inchiesta e degli accertamenti sull'incidente. Mi rendo conto che si tratta di un'impresa difficilissima, ma...».

L'ispettore ci cascò con tutte le scarpe.

«Figurati, guarda che io sono conosciuto e stimato in ogni commissariato della città, la mia carriera è stata bloccata solo dall'invidia, dall'ingiustizia e dall'incapacità di giudizio dei superiori. Ho tanti amici all'aeroporto, che è l'ufficio di competenza, potrei andarci e chiedere in giro. E per quanto riguarda il cambio di nome, una carta d'identità perfetta ti costa quattro soldi. Conosco un tizio che se n'è comprata una per andare in hotel con l'amante, pensa un po'.»

Viola commentò, disgustata:

«Maschi. Cerca un modo di mentire e trovi un maschio. Non c'è niente da fare».

Prima che Pardo potesse protestare, Sara disse:

«L'unica cosa che vi raccomando è la discrezione. Bisogna stare molto attenti a non lasciare tracce, né fisiche né informatiche. Se qualcuno ha davvero fatto questa cosa, è potentissimo. E non si fermerà davanti a nulla. Quindi, per favore, massima cautela. E prima di prendere iniziative, consultiamoci. D'accordo?».

Pardo annuì brusco, e si alzò.

«Io faccio il poliziotto. Sono discreto per natura. Se mi tenete questa orribile bestiaccia, approfitto della giornata libera e vado adesso.»

Viola sorrise, dolce:

«L'aveva appena detto Boris a Massi: se mi liberate di questa orribile bestiaccia, resto a farvi compagnia per l'intero giorno».

XII

L'ometto sedeva su una panchina davanti al mare. Rigido, il collo incassato nel bavero rialzato del soprabito, le mani affondate nelle tasche. I radi capelli, abbandonato il riporto non più credibile, ondeggiavano lievi nel vento freddo di novembre.

Le onde schiaffeggiavano il porticciolo deserto e il rumore irregolare riempiva l'aria, come il lamento di un enorme animale.

Gli occhi dell'ometto, dietro le lenti spesse, erano fissi sull'orizzonte. Quasi sapessero che c'era qualcosa da mettere a fuoco, e invece non c'era niente.

Era lì da un quarto d'ora, l'ometto. Sapeva di essersi anticipato inutilmente, perché la persona con cui doveva parlare sarebbe giunta puntuale per poi ripartire in fretta. Era abituato a quegli appuntamenti furtivi, consapevole che a nessuno piaceva avere a che fare con lui. Ma siccome nemmeno a lui piaceva incontrare gente così, gli pareva equo ridurre il tempo all'indispensabile.

Non lo sfiorò nemmeno l'idea che si potesse comunicare per telefono, usando una linea sicura. Non c'era niente di sicuro, per lui. Mai. Da nessuna parte. L'unica accortezza da porre in atto era la maniacale, assoluta attenzione. Se proprio ci si doveva confrontare, meglio allora vedersi all'aperto, in un luogo isolato. Senza sguardi né orecchie di terzi.

Si poteva dire che l'ometto fosse vivo proprio grazie a quella maniacale, assoluta attenzione. Mentre gli occhi miopi continuavano a scrutare l'orizzonte grigio, come in attesa dell'emersione di un sommergibile, nella sua mente transitarono le facce di quanti avevano mancato in cautela e le relative conseguenze. Carcere, suicidio, scomparsa. Un'altra volta stavate più attenti, disse l'ometto alle fotografie mentali.

La cautela permetteva non solo di sopravvivere, ma anche di vivere. Non era un limite al potere, al denaro, alle cose belle. L'unica rinuncia era alla visibilità. Non il peggiore dei mali, a pensarci. A che serve mettersi in mostra, se la gente vale talmente poco?

L'udito assuefatto al fragore del mare percepì l'avvicinarsi di un motore. L'unica automobile a vista era l'utilitaria dell'ometto, parcheggiata di fianco al muro che segnava l'accesso al porticciolo. La sagoma inconfondibile dell'isola incombeva sulla sinistra, ma non riusciva a fornire riparo dal vento. Il motore decelerò. L'ometto non mosse un muscolo: statua di marmo con riporto, si sarebbe detto di lui in un museo.

L'auto in arrivo era una berlina blu con tanto di lampeggiatore. Si fermò a cento metri dalla panchina. L'autista e un uomo vestito di scuro vennero fuori dai lati opposti, aprirono lo sportello posteriore e fecero scendere un anziano signore dai capelli bianchi e gli occhiali neri. L'uomo vestito di scuro lo aiutò deferente a indossare un soprabito, i cui angoli si animarono per il vento schiaffeggiandogli i polpacci.

Il tizio canuto si guardò attorno, fino a individuare la panchina con l'ometto. Disse qualcosa ai due e si avviò, lasciandoli a fumare appoggiati all'auto.

Sedette a una ventina di centimetri dall'altro. Non ci furono saluti né convenevoli.

L'uomo dai capelli bianchi esordì:

«Gli amici di Roma, soprattutto, si chiedono se fosse necessario. I milanesi invece sono più inclini ad accettare la situazione».

L'ometto assorbì l'informazione, come fosse rilevante.

«Per me hanno ragione i milanesi. E mi pare strano, perché i maggiori pericoli li correvano a Roma.»

L'uomo dai capelli bianchi tradì un gesto nervoso:

«Guarda che è grossa, cazzo. Non siamo in quegli anni là. Le cose sono cambiate, si preferisce... si preferiscono altre soluzioni. Chiedere questo fatto...».

L'ometto sollevò un angolo del labbro superiore.

«Tu. Sei tu quello che aveva paura. E sei tu che ti domandi se fosse necessario. Be', la risposta è sì, era necessario. Conoscevo bene la persona, e ti garantisco che sarebbe andata fino in fondo.» Ridacchiò, un suono gracchiante e lugubre che diede i brividi all'altro. «E in fondo comunque poi ci è andata. Meglio così.»

L'uomo dai capelli bianchi si agitò. Aveva freddo, peraltro.

«Ci sono tanti modi, infiniti. Potevamo prenderle la borsa, all'atterraggio. Che avrebbe fatto, poi? Senza uno straccio di prova, con niente in mano? O potevamo minacciarla, farle paura. O ancora, come avevamo detto in molti, darle quello che voleva e chiuderla lì.»

L'ometto parve riflettere:

«Fessi. Siete sempre stati dei fessi. Per questo durate poco, e pure tu saresti sparito nel nulla da un sacco di tempo se non fosse stato per me. Così fessi da non capire che in ogni caso lei avrebbe continuato, una volta compreso che poteva ottenere ciò che voleva. Poteva fare delle copie, riversare i file, adesso fai un clic e riempi il mondo. Sai poi come si sarebbero divertiti, tutti? Magari ricominciavano pure a vendere i giornali, dopo».

L'uomo dai capelli bianchi insistette:

«E allora si organizzava un incidente singolo. Quanta gente viene investita da auto pirata ogni giorno? O una finta rapina, o qualsiasi altro modo».

L'ometto gracchiò di nuovo:

«Sì, eh? E poi dovevi per forza fare fuori anche il marito. E la maledetta zia, le cugine e chiunque avesse avuto a che fare con lei, no? Chi avrebbe potuto garantire che quelle audiocassette, così come erano sopravvissute per trent'anni, non fossero ancora da qualche parte? Chi ce l'assicurava, tu?».

L'uomo canuto si passò nei capelli una mano guantata:

«Questo però non è un modo di fare nostro! Erano in otto, lì dentro! Otto! E c'era pure quel Ribaudo, non uno qualsiasi. Hai idea del rumore che sta facendo la questione? Un rumore che dà un sacco di fastidio».

L'ometto chiuse gli occhi, trattenendo l'irritazione. Il movimento non sfuggì all'altro, che d'istinto si scansò. I suoi uomini, appoggiati all'auto, si scambiarono uno sguardo allarmato.

«Il rumore, dici. Un rumore che dà fastidio. Lascia che ti racconti una storia, così ti farai un'idea chiara di cosa sia il rumore, quello vero.»

L'uomo dai capelli bianchi tentò una reazione:

«Senti, lo sai che io non...».

L'ometto continuò a bassa voce, quasi parlando tra sé:

«A uno di quei siti di protesta, ambientalisti o di centri sociali o di black bloc o di una radio di radicali o chi accidenti vuoi, arriva un bel giorno un'audiocassetta. Una sola, con la sua bella custodia di plastica e la copertina di carta con sopra scritti due nomi e una data. La cassetta risale a quei tempi, i destinatari hanno addirittura difficoltà a trovare uno strumento per riprodurla, la tecnologia è andata avanti e...».

L'uomo dai capelli bianchi tornò ad agitarsi e provò a interromperlo:

«Ascolta, non voglio dire che...».

L'altro riprese imperturbabile, il riporto che si agitava nel vento:

«Il contenuto della cassetta va in rete e distrugge i due soggetti che ne sono protagonisti, ancora sulla ribalta, molto noti e molto potenti. Non si parla d'altro, titoloni sui giornali e nei TG. Uno scandalo epocale».

L'uomo dai capelli bianchi si passò un guanto sulla faccia:

«Per carità, non c'è dubbio che...».

«Dopodiché, quando si è nel pieno del casino, a un'altra radio, pagina social o quello che cazzo vuoi arriva una seconda cassetta con sopra scritti due nomi ugualmente potenti, anzi, di più. Poi tre. Poi quattro. Il sistema economico, politico e istituzionale comincia a traballare. Sai quante cassette c'erano nella borsa di Fulvia Bianco? Lo sai, tu?»

L'uomo canuto era terreo. Sembrava invecchiato di dieci anni. Fece cenno di no con la testa.

«Quarantasette, ce n'erano. E a parte un paio che nel frattempo ci hanno lasciati o che, bontà loro, si sono ritirati a vita privata, una cinquantina di pescecani nuotano ancora nel nostro mare. Fra cui, *ça va sans dire*, anche tu, amico mio.»

L'uomo dai capelli bianchi cercò di parlare, ma non ci riuscì. Deglutì, poi disse:

«Va bene, ma adesso è risolta, no? È fatta, la borsa l'aveva con sé, la stava portando via per nasconderla, tu sei stato bravo a scoprirlo e noi... noi ci siamo organizzati. Non c'è più pericolo. Giusto?».

L'ometto indicò il mare col mento:

«Non dovrebbe esserci più pericolo. Ma questo è il momento di alzare al massimo la soglia dell'attenzione. Dillo ai tuoi amici. E salutali da parte mia».

L'uomo dai capelli bianchi si alzò, sollevato. Si avviò verso l'auto, poi tornò indietro.

«Scusa, ma... ma tu come fai a sapere quante fossero le cassette, e il loro contenuto? E come sai che non ne esistono copie, che per esempio il marito non venga a ricattarci?»

L'ometto tacque per un lungo istante. L'altro batteva i piedi per il freddo, ma lui sembrava insensibile al vento.

Eccetto il riporto.

Poi rispose:

«Perché a suo tempo le cassette le ho registrate io. Sono state la mia assicurazione sulla vita; e anche la mia principale occasione di reddito, a dire la verità. Per quanto riguarda il marito, non ti preoccupare. Ci penso io».

Quando la berlina blu ripartì sgommando, era quasi sera.

XIII

Rientrando a casa, Sara si domandava chi, tra lei e Andrea, avesse ragione.

Il cieco, che aveva sentito al telefono dopo la riunione con Viola e Pardo, era tornato alla carica sull'opportunità di coinvolgerli. Le aveva ribadito che non avevano la necessaria formazione, a fronte di una instabilità personale dovuta al loro passato.

Sara non aveva perso tempo a chiedergli che cosa ne sapesse della vita dei due: mai Andrea si sarebbe espresso senza prima aver assunto le dovute informazioni. E, pur non avendo mai approfondito la questione, erano entrambi perfettamente a conoscenza degli archivi dai quali attingere.

Da parte sua, Sara aveva sottolineato che, se si fidava lei, allora poteva fidarsi anche lui: i criteri di valutazione erano gli stessi. E comunque non si trattava di un'inchiesta ufficiale, ma di un dubbio che volevano risolvere. Aveva poi aggiunto – ed era stato forse l'argomento più convincente – che da Teresa non avrebbero ottenuto più di tanto, quindi avevano bisogno per forza di una mano.

Mentre si avvicinava al portone, sperò di essere nel giusto; in special modo Pardo tendeva a strafare, con la sua perenne ansia da prestazione.

Tirò fuori le chiavi dalla borsa, e una voce sussurrò nell'ombra:

«Ciao, Sara».

L'addestramento riemerse con veemenza dai decenni di assopimento, e i muscoli della donna guizzarono. Ruotando sulla gamba più lontana dal suono, Sara espose una porzione minima del fianco, il braccio sinistro in avanti a mano aperta e il destro a impugnare la borsa come un martello.

Dall'ombra venne fuori un uomo dall'espressione stupita.

«Scusami. Non volevo spaventarti, e soprattutto non volevo spaventarmi io.»

Lei si rilassò, imbarazzata dalla sua stessa reazione.

«Tu? E come... Che ci fai qui? E per quale motivo...»

L'altro non rispose. Restò in piedi, le mani nelle tasche del soprabito, la chioma brizzolata ondeggiante nel vento.

Si fissarono a lungo. Al loro fianco si materializzarono i trentenni che erano stati: una ragazza dai capelli neri con qualche ciocca grigia, lo sguardo vivo e curioso, una bellezza mai evidente e tuttavia reale, solida; e un medico romeno di grande capacità, affascinante e consapevole. Due giovani con un futuro che doveva essere assai diverso da quello che invece avrebbero avuto, e che adesso, nell'umidità ventosa di una sera di novembre, pesava sulle loro spalle come una montagna di sassi.

In lui, le tracce di quel giovane erano forse ancora meno visibili che in Sara. Gli occhi azzurri erano diventati duri e tristi, la scintilla di ottimismo e la ribalderia erano sparite. La mascella si era indurita, e il fisico atletico si era fatto massiccio. Le spalle curve e le rughe sulla fronte davano l'impressione di un'età maggiore di quella che aveva.

Nicolae Popescu, rampante promessa della chirurgia all'inizio degli anni Novanta, era diventato Nikolaj Popov, una leggenda della medicina internazionale, una specie di fantasma inafferrabile che operava solo presso strutture private dopo essere stato contattato da misteriosi intermediari. Niente pubblicazioni, niente relazioni a convegni, niente partecipazioni a trasmissioni televisive. Niente di niente, se non una fama trasmessa di medico in medico con disagio e invidia.

Nico e Sara ristabilirono in quel lungo istante l'assurda relazione che c'era tra loro. Gli incontri si potevano contare sulle dita di una mano, e i due non si erano mai sfiorati. Eppure erano gli unici abitanti di uno strano, assurdo pianeta che apparteneva soltanto a entrambi. Nonostante l'invisibilità affinata con cura, Sara si ritrovava le pupille dell'uomo addosso non appena erano nello stesso ambiente, per quanto distratto lui fosse, per quanta compagnia avessero. E per quanto lei fosse concentrata su altro, l'arrivo di lui catalizzava la sua attenzione.

Ebbero lo stesso brivido. E fecero finta di non averlo avvertito.

«Vuoi... che posso fare per te, Nico?»

Nico aveva salvato la vita al piccolo Massimiliano. Lo aveva fatto in deroga ai propri principî e alle proprie modalità di intervento. Lo aveva fatto nonostante avesse tutti i motivi per non farlo, visto che Sara gli aveva distrutto l'esistenza precedente e orientato la vita attuale. Se vita poteva chiamarsi quella di un fantasma. Era quindi naturale che lei si fosse offerta di ricambiare, consapevole che del futuro rubato non avrebbe mai potuto risarcirlo.

Lui disse:

«Ti dispiace se camminiamo un po'?».

Lei si pose al suo fianco e si avviarono nella quiete della tarda sera. La gente per strada era pochissima, il passeggio scoraggiato dal freddo pungente.

A Sara, chissà perché, il cuore batteva forte. Poi interruppe il silenzio.

«Devo ringraziarti ancora. Massi migliora di giorno in giorno. I medici dicono che hai fatto un miracolo, non riescono a spiegarselo. Farà i controlli previsti, e...»

«Tranquilla. Ho tolto tutto. Non ci saranno recidive, conosco bene quella patologia. Il bambino è salvo. Speriamo che viva bene, ma questo non dipende da noi, giusto?»

Sara accusò il colpo. Il futuro del giovane medico romeno aveva contribuito a scriverlo lei. Eccome.

«Ascolta, Nico, riguardo ad allora... Devo dirtelo, io credo ancora che sia stato corretto fare quello che facemmo. Se avessimo consentito... Non era giusto, lo sai anche tu. Non era giusto. E se avessero lasciato che noi disponessimo di tutte le risorse, invece di...»

Senza smettere di camminare, Nico sollevò una mano:

«No, ti prego. Non parliamone. Non mi hai costretto a farlo, mi hai esposto con sincerità la situazione. Ci ho messo parecchio per capirlo, ma alla fine ci sono arrivato. Non posso negare che per molto tempo ho pensato a te come a una specie di angelo della morte, ma adesso credo che tu facessi semplicemente quello che dovevi fare. E anch'io».

Sara tacque. I ricordi si affastellavano, le scorrevano davanti i giorni successivi, l'evoluzione delle cose che forse nasceva proprio da quel terribile momento, in cui lui l'aveva cercata e trovata all'interno di un teatro gremito. Quegli occhi disperati, devastati, che perdevano per sempre l'ingenuità.

«Sono un medico. Ho curato tuo nipote, ogni giorno della mia vita salvo qualcuno o tento di farlo. Se avessi lasciato che... che lei facesse quella cosa, sarebbero morti in tanti. È il contrario di ciò che anima i miei gesti, i miei respiri. Sarebbe stato peggio. E sarebbe stato peggio pure per lei. L'avrebbe distrutta.»

«Io però potevo prevedere quanto sarebbe successo dopo. Avrei potuto almeno metterti sull'avviso, prospettarti le possibilità, per consentirti di scegliere.»

«Non potevi saperlo. Era una storia contorta, incomprensibile perfino per noi. Chi aveva interesse a che quell'uomo morisse, non avrebbe dovuto averlo.»

Sara si fermò.

«Allora dimmi che cosa posso fare adesso, Nico. So che hai qualcosa in mente, lo vedo. Non saresti venuto a cercarmi, altrimenti.»

Anche l'uomo si fermò, e la fronteggiò. Il vento non calava, la luce gialla dei lampioni conferiva a entrambi un colore malsano e rendeva le loro orbite dei pozzi neri.

«Sì. Ho qualcosa in mente. Ho capito che non posso rimanere fino alla fine dove mi hai lasciato trent'anni fa. Devo ripartire, in qualche modo. E per farlo ho bisogno di una cosa. Soltanto di una. E tu, tu hai il dovere di aiutarmi.»

Conoscendo la risposta, e temendola allo stesso tempo, lei disse con un sospiro:

«Di che cosa?».

Nico rispose piano, ma sembrò un urlo disperato:

«Devo sapere se Ana è viva. E se lo è, che le è successo in questi trent'anni».

XIV

Con Carlo non parlava mai del suo lavoro.

Non ne parlava nemmeno quando avrebbe potuto, senza tradire la riservatezza resa obbligatoria dalla sua funzione. In realtà non ne parlava perché percepiva l'assoluta mancanza di interesse di lui.

Carlo era un uomo pratico, dotato di scarsa immaginazione. La sua concretezza, il suo vivere per obiettivi da realizzare erano forse stati il principale motivo di attrazione, per lei che era cresciuta nel silenzio di una casa troppo grande e nel rispetto ossessivo per gli spazi altrui. Il marito aveva in dote il fascino del comprensibile, la semplicità delle cose facili.

E dunque, per obiettivi erano andati: la casa, il matrimonio, il figlio. Poi le vacanze, un gruzzoletto da parte per gli imprevisti, una posizione sociale in lenta ma costante ascesa. La carriera di lui, per gradi e per scatti di stipendio. Tutto da programmare, da organizzare, da prestabilire. Il lavoro di lei era troppo strano e pericoloso, meglio escluderlo dalle conversazioni. E pure dai pensieri.

A Sara non dispiaceva. Non avrebbe potuto ricevere conforto dal dialogo con un uomo distante anni luce dalle *dinamiche del crimine e dell'anticrimine; e tutto sommato era gradevole lasciare fuori della porta i pensieri relativi all'Unità, tornando alle piccole concretezze di ogni giorno.*

C'era però un problema. Il silente, progressivo distacco che avvertiva per quell'uomo, un uomo che adesso dubitava di avere mai amato.

Erano quasi coetanei, lui aveva un anno in più. Si erano sposati presto, la fretta di Sara di andarsene di casa, la fretta di Carlo di costruire il suo progetto. Finché avevano corso dietro a qualcosa, era stato facile fare squadra: ma era amore, quello? O piuttosto una società, con un oggetto sociale da realizzare?

Man mano che costruivano qualcosa, avevano la necessità di individuarne un'altra. Una propulsione irrinunciabile. Questo, secondo Sara li allontanava dal concetto di coppia.

Certo, c'era Giorgio. Un bel bambino, affettuoso e gentile; e Carlo era un padre ineccepibile, di quelli che passano ore a giocare e chiacchierare coi figli senza annoiarsi; e di fronte alle assenze di lei, si faceva carico più che volentieri dei bisogni del piccolo. Cucinava, lavava i panni, li stendeva e li stirava. Metteva anche in ordine. Non ci si poteva lamentare.

E quindi, si domandò Sara davanti allo specchio del bagno, per quale motivo non sono felice?

Forse la colpa era del lavoro, pensò. L'ultimo periodo vissuto all'interno dell'Unità non era stato facile. Il suo talento, la capacità che l'accompagnava sin da bambina e che aveva affinato studiando ogni testo esistente sull'interpretazione del linguaggio non verbale, alla fine aveva trovato un'applicazione professionale. Ma era cambiato l'ambito. Non osservava delinquenti. Non cercava all'interno di confessioni il vero e il falso. Adesso si trattava spesso di gente innocente e inconsapevole, che serviva per arrivare a comprendere trame e sistemi complessi assai più in alto, o più in basso, di loro.

Il cambiamento di prospettiva era stato duro da digerire. Ma per Sara era primario un solo argomento: la verità. O meglio: lo smascheramento della menzogna.

E tu?, chiese allo specchio. Tu, sei sincera?

I rapporti con Carlo avevano cadenza costante. Rientravano nella prevedibilità confortevole della loro esistenza. Un marito, una moglie, un matrimonio.

Poi era successo qualcosa, ed era successo a Sara. C'era stata la faccenda dei ragazzi romeni. Aveva intercettato la passione disperata fra Ana e Nico; osservandoli, analizzandone movimenti ed espressioni, aveva colto un'intesa dei corpi che a lei, se n'era resa subito conto, era sconosciuta.

Sfioramenti, sussurri, movimenti delle mani e delle gambe. Tante minuscole evidenze che sarebbero sfuggite a chiunque, ma non a lei. Addirittura, in più di un'occasione, aveva sentito montare un'eccitazione sessuale indotta, quasi assistesse a un film pornografico. Aveva dovuto distogliere l'attenzione, vergognandosi di se stessa. Ma la passione fra quei due era tale che vederli insieme, per una dalla sua sensibilità, era come assistere mentre facevano l'amore.

Tale consapevolezza si univa al fatto che quel Nico si accorgeva di lei. I suoi occhi si soffermavano su Sara, anche quando non ne avrebbero avuto motivo. Quasi tra loro ci fosse una sintonia, un'intesa particolare. Poi, una volta preso atto della sua presenza, cominciava la danza ancestrale con la propria, bellissima donna. L'emozione generata in Sara era strana, una gelosia immotivata che sfociava nella frenesia.

Aveva perso ogni slancio verso il sesso con il marito. Non c'era mistero, non c'era emozione. Era la triste marcatura di un cartellino. E invece, per paradossale che fosse, proprio l'essere costretta a farci l'amore sanciva l'avvenuta fine di un sentimento. Aveva provato a liberarsi di quella sensazione. Aveva addirittura provato a prendere l'iniziativa, lei che non aveva mai sentito la spinta, che si era limitata ad assecondare le esigenze di lui.

Carlo non aveva manifestato sorpresa. Del resto, non parlava volentieri dell'argomento. Aveva ricevuto un'educazione rigida, e la fantasia non era fra le sue prerogative. Per cui la fase era finita e la vicenda dei ragazzi romeni aveva trovato la sua tragica conclusione, lasciando nella mente e nel cuore di Sara un senso di fallimento che aveva addirittura messo a rischio la sua permanenza nell'Unità.

Ma il momento era passato, e il lavoro assorbiva sempre più l'energia di Sara. Doveva ammettere che le dispiaceva tornare a casa a fine giornata. D'altronde il frangente storico e politico giustificava l'incremento di impegno, e a Carlo la sua assenza non pareva pesare.

L'immagine nello specchio le rimandò il pensiero di Massimiliano Tamburi. Non ci provare nemmeno, disse Sara fra sé. Primo, è un tuo superiore. Secondo, al di là di una evidente stima professionale non ti ha mai dimostrato niente. Terzo, sei una donna sposata. Quarto, è assai più vecchio di te, ventidue anni per l'esattezza. Quinto, hai un figlio. Sesto, non sei il tipo da relazioni extraconiugali. Settimo, non sai fingere, nemmeno ti trucchi, figuriamoci una cosa così. Ottavo, c'è Teresa che è bella, curata, appariscente, e tu guardati, sembri uno scarafaggio, piccola e scura come sei. Nono, Carlo non si merita un tradimento. Decimo, hai una vita completa e non ti serve niente.

Questa è la ragione, le rispose lo specchio. Io non parlo della ragione. Io parlo di quegli occhi, delle dita con cui si tocca le labbra, dei piedi quando accavalla le gambe. Dai, sii sincera e dimmi che non ci pensi.

La sera prima aveva rifiutato il marito. Aveva detto di avere mal di testa, la più triste delle scuse. Odiava mentire, si sentiva male se le capitava di farlo; ma il contatto ora le risultava insopportabile.

Andò a letto, sperando lui avesse preso sonno. Ma non era così.

Carlo chiuse il libro che aveva in mano, le sorrise lascivo, le disse che il bambino dormiva e aveva chiuso la porta. Lei sentì salire un moto di disgusto.

Fu triste, breve e insoddisfacente. Quegli occhi, quei capelli e quella fossetta sul mento si accalcarono maligni nella sua testa, mentre Carlo le sospirava addosso.

Poi lui spense la luce, e lei si chiese se avesse mentito più gravemente la sera prima, quando aveva finto il mal di testa, oppure quella sera.

La risposta le fu chiarissima.

XV

Per quanto sorprendente, l'ispettore Davide Pardo aveva delle estimatrici.

Non che fosse repellente, anzi: era alto e muscoloso, troppo massiccio, forse; l'aria sgualcita faceva molto maschio vecchia maniera, e questo per qualcuna poteva risultare attraente. Il problema era che Davide aveva a lungo coltivato un progetto di vita che poco quadrava con i programmi delle nuove generazioni femminili, giustamente inclini alla propria affermazione professionale e al raggiungimento dell'indipendenza economica dai mariti.

Pardo, invece, avrebbe voluto crearsi una famiglia di carattere conservatore, con una moglie pronta a mettere al mondo un numero imprecisato di figli e che si occupasse della casa sulla base di una certa attitudine al risparmio e all'educazione tradizionale della prole. In tale prospettiva, si era impegnato fino alle mutande in un mutuo trentennale per l'acquisto di un appartamento enorme, nella convinzione che costituisse un'attrattiva irresistibile per le signorine tanto desiderate dalla sua ingenua mente fragile.

Pardo aveva però dovuto fare i conti con una scoperta dolorosa: una donna così come la voleva lui – per fortuna – non esisteva più da decenni, almeno nella fascia borghese di laureate rampanti che frequentava.

Forse il carattere malinconico e musone era la causa della solitudine in cui era precipitato; o forse ne era l'effetto. Sta di fatto che ritrovarsi in un appartamento immenso e costosissimo, con l'unica compagnia di un Bovaro del Bernese fuori taglia arrogante e prevaricatore, lo aveva indotto a una visione dell'esistenza a fronte della quale Schopenhauer e Leopardi lo avrebbero volentieri invitato a bere una birra per confortarlo.

Negli ultimi tempi, tuttavia, pareva che qualcosa stesse accadendo. Doppiata la boa della mezz'età, Pardo era finito nel mirino di una categoria femminile sfuggita al suo radar: le signore che, giunte all'apice della carriera con una o più storie superficiali alle spalle, si guardavano attorno in cerca di stabilità. Il palestrato abbronzato dal sorriso bianchissimo e la camicia aperta sul torace privo di peli, con tanto di calice di bianco in mano, a un tratto era apparso ad alcune come il Male mascherato da Nulla, al punto da far loro riconsiderare il modello patriarcale sino ad allora aborrito.

Ed era lì che il buon Pardo, insieme ai suoi valori di una volta, era balzato alla ribalta.

Pur non possedendo un'indole utilitarista, tendeva ad approfittare della propria posizione, se serviva. Perciò, quando Sara aveva riferito della necessità di accedere alle informazioni relative all'incidente aereo, gli era subito venuta in mente Stella.

La prima dirigente Stella Bideri guidava il sempre più potente servizio comunicazione della questura. Aveva preso il tesserino da giornalista collaborando nella redazione del mensile della polizia, della radio e del blog. Il suo impegno era teso a dare dei poliziotti un'immagine positiva, in una città dove la divisa era da sempre uno spauracchio.

Da giovane, quando era in attesa di essere proiettata nelle alte sfere con promozioni pressoché biennali, Stella aveva lavorato nello stesso commissariato di Pardo, il quale le piaceva pure, ma era scappata a gambe levate appena udita pronunciare da lui la parola *matrimonio*. Adesso che era tornata in città grazie al nuovo incarico, la prospettiva nuziale le appariva meno drammatica.

Ragion per cui aveva accettato volentieri l'invito a cena di Davide: rivedere un amico fa sempre piacere. Ma l'esile e determinata fanciulla era divenuta un donnone rugoso dai modi poco diplomatici.

Pardo aveva scelto una pizzeria che dava il peggio di sé in novembre, quando i tavolini all'esterno venivano sciabolati dal vento freddo: ma era economica, il che non guastava mai, e poco frequentata, e ciò era utile ai suoi fini. Stella non sembrò disgustata dall'ambiente, e rivolse a Davide un'espressione soave.

«Dimmi di te, bel ragazzone. Ma lo sai che sei diventato proprio attraente? Mi racconti cos'hai fatto senza di me, in tutti questi anni? Quanti ne sono passati, venti?»

Era l'approccio base del corteggiamento, Pardo lo conosceva bene. Assumendo l'aria del brav'uomo più volte ferito nei sentimenti ma salvatosi dalla trappola del cinismo, diede a Stella ciò che voleva: l'emblema di chi, nonostante le delusioni, crede ancora nel Vero Amore e lo attende con flebile ottimismo.

Lui fu abile a guidare la conversazione: la vita passa, disse, il tempo a disposizione si assottiglia, siamo appesi a un filo. Hai visto quell'incidente aereo? Non è incredibile? Quel povero Ribaudo, uno che parlava tanto chiaro. Chissà cosa è successo, in realtà.

A Stella non parve vero di poter sciorinare la perfetta conoscenza dell'accaduto, e l'aereo precipitato divenne l'asse portante della chiacchierata. La pressione dei media aveva fatto sì che il suo ufficio fosse informato con assoluta precisione sulle indagini, proprio come Pardo aveva immaginato; quindi era Stella a sapere ciò che c'era da sapere, incluse le sollecitazioni che giungevano da Roma.

Pardo aveva ben presenti i tasti da toccare, così manifestò crescente venerazione per Stella, per la sua capacità di scoprire e interpretare i retroscena di una vicenda a cui lui era molto interessato. Lubrificata dalla gratificazione, la dirigente non smise un attimo di parlare. E rivelò che il punto nel quale l'aereo era caduto, come dimostrato dai rottami individuati dagli elicotteri, era profondo più di tremila metri, per cui le ipotesi di recupero di cadaveri e scatola nera erano pressoché nulle. Che il pilota, Tomassi, era uno dei più esperti su piazza, e avrebbe potuto guidare un velivolo come quello anche nel sonno. Che l'aereo era abbastanza nuovo e in perfetto stato di manutenzione, e le procedure di controllo alla partenza erano state espletate con regolarità.

Con interiezioni di stupore suscitate dalle sterminate conoscenze di lei, Pardo indirizzò il dialogo verso l'ipotesi di un attentato o un dirottamento. Stella ridacchiò: era venuto in mente anche a lei, ma non c'era alcun indizio che portasse all'eventualità di un atto doloso. Si era trattato di una semplice avaria, come dimostrato dai messaggi lanciati dal pilota. Si era fermato un motore, e l'altro con ogni evidenza non aveva retto al sovraccarico. Sarebbero rimaste le congetture, data l'impossibilità di recuperare il relitto: e il punto in cui l'aereo era caduto, uno dei più profondi del Tirreno, sembrava scelto apposta per non ottenere informazioni conclusive. Di fronte all'assenza di elementi, non c'era motivo per proseguire le indagini in tal senso.

Pardo chiese allora, con umana sensibilità al dolore, chi fossero gli altri a bordo. E se ci fossero dubbi sulle identità.

Ingollando un paio di crocchette di patate senza masticare, Stella disse che non c'erano misteri: due erano gli assistenti di Ribaudo, poi c'era una coppia di turisti stranieri e infine una donna di origini sarde, che con ogni probabilità stava tornando a casa.

Una donna?, chiese Pardo sorpreso. Poverina, magari aveva figli, un marito.

Stella liquidò la questione con un gesto vago: no, no, risulta senza famiglia, sessantaquattro anni, poveretta, ma almeno nessuno che debba piangere la sua assenza. Flavia Badas, si chiamava. Certo, disse dopo aver ripulito il piatto, meglio avere una famiglia, soprattutto quando arrivi a un'età. Tu l'hai sempre detto, no, bel ragazzone? Mi sembrava una stronzata, ai tempi. Ma oggi mi chiedo se alla fine avessi ragione tu. Be', cosa dici, me lo vuoi far vedere questo bell'appartamento che ti sei comprato e in cui vivi solo soletto?

Pardo pensò a Boris, che in quel momento stava di sicuro portando avanti la sua personale indagine sulla composizione della struttura interna del costoso divano del salotto, e sospirò.

XVI

Teresa Pandolfi correva.

Lo faceva da sempre, per mantenere il tono muscolare e salvaguardare l'estetica alla quale teneva tanto. Da qualche anno, però, aveva scoperto che le piaceva la condizione che si creava quando, rotto il fiato e assunta un'andatura costante, il corpo badava a se stesso e al ritmo cadenzato del passo mentre la mente si liberava, ritirandosi in un luogo in cui tempo e spazio non contavano più.

Usciva di casa che era buio, sia quando era sola sia quando l'occasionale compagno di letto dormiva della grossa, sfiancato dalla passione famelica di lei, ignaro che a quella notte non ne sarebbero seguite altre. Bionda l'aveva giurato: non sarebbe mai più cascata nel sogno assurdo di una relazione stabile; e non era una che tradiva i giuramenti.

Imboccava la discesa che dalla palazzina immersa nel verde – e con una bella vista sul golfo – portava al lungomare. Lì, sprofondata nell'odore di sale e alghe non ancora inquinato dalla greve cucina dei ristoranti per turisti, cominciava a macinare i suoi sette chilometri, andata e ritorno, incrociando la ventina di altri eroi pronti a sacrificare sessanta minuti di sonno per contenere i danni della tavola.

Quel tempo le era utile. Di più: necessario. Le idee smettevano di essere confuse e le componenti distanti della sua personalità complessa si rendevano disponibili, se non a fare amicizia, almeno a parlarsi. Era il tempo in cui sfumava l'aggressività, la rabbia perenne che era stata la sua forza e adesso era divenuta zavorra.

La rabbia. I piedi martellavano l'asfalto, uno-due, uno-due, le cuffiette promanavano Janis Joplin da una playlist che avrebbe dovuto darle ritmo e invece le inoculava malinconia, e Teresa pensò che era quella la differenza tra lei e gli ex colleghi: la rabbia.

Non era un motivo preciso a scatenarla. Lo sapeva anche mentre stava accadendo, mentre rispondeva in maniera aggressiva a ciò che in fondo voleva essere un aiuto. Perché Andrea voleva aiutarla a trovare la verità, convinto – ingenuo – che fosse suo compito, proprio come allora, quando credevano di dover preservare il lato buono del mondo.

E Sara, Sara non aveva fatto che ratificare, con i suoi occhi formidabili, ciò che le altrettanto formidabili orecchie di Andrea avevano percepito. Quindi, la rabbia di Teresa era davvero mal indirizzata. Che cosa l'aveva causata? Che cosa aveva dato così fastidio a Bionda, da farla rispondere con un metaforico pugno alla gentilezza dei due?

Joplin lasciò il posto agli AC/DC, rock su rock. Quasi fossero dotati di vita propria, i piedi accelerarono sulle note di *Highway to Hell*, l'autostrada per l'inferno. Quella intrapresa da Pandolfi anni prima, senza accorgersene.

Era Teresa a essere in servizio. Era Teresa a essere operativa, ad avere voce in capitolo. Era Teresa a capo dell'Unità, a parlare con Roma a tu per tu. Come osavano una nonnina dai capelli bianchi e un povero cieco schiavo dei ricordi, due pensionati di merda che fingevano di essere vivi, dirle cosa fare, da che parte guardare?

E invece, sembrava avessero pietà di lei. Quei due rottami, pietà di lei.

L'improvvisa consapevolezza quasi la fece inciampare. Ecco da dove veniva la rabbia. Si era sentita oggetto di pietà da parte degli ex compagni di lavoro. Due con cui aveva condiviso tutto, insieme ai quali si era messa in gioco. Due che la conoscevano bene.

Se Teresa avesse formulato quei pensieri mentre non era impegnata nella corsa, avrebbe ceduto alla sola collera. Ma adesso che il corpo era staccato dalla mente, e il sangue aveva altro da fare che irrorarle in maniera esagerata il cervello, si domandò se per caso non avessero ragione.

Voleva bene a Sara e Andrea? Forse. Di sicuro, se avesse dovuto stilare una classifica della stima che nutriva per il prossimo, si sarebbero collocati fra i primi cinque. Ed era stato soltanto in virtù di ciò che, una volta lasciato il bar della stazione di servizio in cui li aveva incontrati e sbollita l'irragionevole irritazione, aveva subito chiamato Angela e la sua forfora in ufficio, dandole l'incarico riservato di effettuare una ricerca specifica sugli altri viaggiatori del light jet. Non aveva ristretto al nome della donna, non si fidava così tanto della ragazza, ma l'approfondimento ci stava, in quella fase.

Erano saltati fuori un nome, un cognome e un indirizzo. E uno stato di famiglia: nessun convivente, nessuna parentela prossima. Nemmeno un profilo social, niente iscrizioni al collocamento né all'INPS. Nulla di nulla.

Non voleva per forza dire qualcosa: un paio di identità false le avevano in molti, a un certo livello professionale in cui c'era bisogno di riservatezza. Ma, come aveva ricordato Sara, le era stato insegnato a non credere alle coincidenze.

Nella sequenza della playlist era adesso il turno degli Aerosmith con la loro *Rag Doll*. Una bambola di pezza. Quella che, all'epoca, era stata Biancaneve. Una delle tante teste di legno del periodo di Tangentopoli, una che contava poco in un'ipotesi di indagine che contava a propria volta poco. Teresa rammentò di aver tifato perché la togliessero da quel pantano per collocarla nella ben più produttiva inchiesta sulle audiocassette dell'Emilia-Romagna, che infatti portò a un interessante terremoto nell'imprenditoria della regione.

E ora la povera, piccola Biancaneve di pezza riemergeva dall'oblio. E saliva sull'aereo di Ribaudo, il caso del giorno. E scordatevi il DNA, con oltre tremila metri di profondità e un'area di venti chilometri quadrati da scandagliare.

Ma non era quello il punto.

Perché, rifletté Teresa giunta ai piedi della salita che l'avrebbe riportata a casa in compagnia degli Scorpions che cantavano *Rock You Like a Hurricane*, il fatto che a bordo del velivolo ci fosse una tizia che bazzicava la procura negli anni Novanta era in sé e per sé una quisquilia. Chi era sopravvissuto a quel periodo, era rimasto in qualche modo a galla e continuava a fare affari. Magari pure Biancaneve si era riciclata e faceva la spola con la Sardegna trasportando droga, o denaro sporco, o detersivi.

Accelerò, come faceva sempre. La corsa in salita era la vera assicurazione contro l'inflaccidimento del culo, autentico terrore per una che non avrebbe mai ceduto alle sirene della chirurgia estetica.

Andrea e Sara. Erano loro il suo specchio. Erano loro la muta accusa che faceva a se stessa, la rinuncia ai principî, l'abdicazione alla ricerca della verità. I tempi sono cambiati, fratelli miei: questo avrebbe dovuto dire. Non ci affidano più un compito lasciandoci liberi di lavorare. Non ci dicono più nomi, luoghi e orari per poi attendere il nostro rapporto con la decifrazione del dialogo, e le note sul linguaggio non verbale. Non funziona più così. Adesso ci danno direttamente la risposta e ne vogliono solo la conferma. E si rivolgono a noi con fastidio, come a un'inutile appendice gloriosa ma obsoleta, che non si vede l'ora di amputare.

Bon Jovi stava cantando *You Give Love a Bad Name*, quando Teresa arrivò in vista della propria palazzina e il sole stava ormai spuntando alle spalle della montagna. Era stata quella la vera ragione della sua rabbia, pensò. Io sono il becchino della creatura geniale di Massimiliano Tamburi, che insieme a voi, fratelli miei, ho curato e custodito credendo di essere eterna. Io non faccio che ratificare la volontà di Roma, e guai a me se li contrad-. dico. È questo che non posso dirvi. È questo che mi distrugge.

Si fermò davanti al portone con le mani sulle ginocchia, aspettando che il respiro tornasse regolare. Spense la musica.

E andò con la mente alla telefonata ricevuta la sera prima, in ufficio, mentre sedeva alla scrivania scartabellando lo scarno rapporto di Angela, nella quale le dicevano, senza addentrarsi in spiegazioni, che l'aereo era precipitato a seguito di un'avaria. Che si era trattato di un incidente.

E che, con decorrenza immediata, andava interrotta ogni indagine sull'accaduto.

XVII

Sara e Viola fissavano Pardo, che aveva l'aria più stropicciata del solito: occhi arrossati, capelli arruffati, camicia abbottonata male. Dava l'impressione di aver dormito poco.

In più, e a Sara era reso evidente dalla posizione defilata del corpo e dalle mani in movimento nervoso, stava sulla difensiva; quasi volesse mantenere il riserbo su qualcosa.

Sara domandò:

«Stai bene, Davide? Che ti è successo?».

L'uomo, però, era determinato a tacere sia sulla fonte sia sulle modalità con le quali aveva estorto le informazioni di cui disponeva. Perciò, elencò in fretta gli elementi in suo possesso per poi concludere:

«In sintesi: non credono di recuperare nulla dell'aereo, tantomeno i corpi, faranno un tentativo di facciata. Loro pensano sia stato un incidente, e Stella... chi mi ha fornito questi dati mi ha fatto capire che da Roma non vogliono andare a fondo. La tizia era registrata con un nome falso, sempre se è vero quello che pensi tu, Sara. Anche qui, non mi pare abbiano particolare interesse a indagare; sul documento risulta nata ad Aggius, in provincia di Sassari».

Viola digitava veloce sulla tastiera. Di fianco al portatile c'erano alcuni foglietti fitti della sua grafia ordinata.

Sara chiese:

«Questa Stella, chiunque sia... è affidabile? E tu sei stato attento a non dare l'impressione di voler sapere cose che non ti competono in modo diretto?».

Pardo sbuffò:

«Guarda che so come muovermi. E la persona non solo è affidabile, ma è anche la più informata perché è lei a scegliere cosa far trapelare all'esterno, quindi deve conoscere per forza tutto. Io mi sono limitato a manifestare curiosità per un fatto di cui comunque parlano tutti, e se accendessi ogni tanto il televisore te ne renderesti conto pure tu».

Viola interloquì:

«Caso strano, le cornacchie che di norma se ne escono con teorie complottiste ora se ne stanno zitte. Sarà per cautela, ma nessuno finora ha ipotizzato altro che non sia l'incidente. Stanno mettendo in croce quella povera compagnia aerea, piuttosto: i tre apparecchi che possiede sono rimasti a terra sotto ispezione».

Sara annuì:

«Lo immaginavo. In vicende simili, la manipolazione dei mezzi di comunicazione è la normalità. Sono strategie consolidate, bastano cinque o sei personaggi nei posti chiave. Gli altri si uniformano. E poi, se non ci fosse stato Ribaudo a bordo, ci si sarebbe concentrati sui singoli profili. Così invece si parla soltanto di lui».

Era vero. Nessuno o quasi, nelle lunghe trasmissioni del pomeriggio, aveva detto nulla sugli altri occupanti del velivolo.

L'ispettore riprese:

«Comunque stamattina, appena arrivato in ufficio, ho controllato l'identità di Flavia Badas. Se è fasulla, è fatta bene. Della provenienza vi ho detto, nata ad Aggius il 15 febbraio 1956, nubile, nessuno nel nucleo familiare, agente di commercio. Quello che vi dicevo ieri della carta d'identità è una cosa, questa è un'altra. Ci vuole tempo per preparare tutta 'sta roba. C'è perfino una patente di guida».

Sara sembrava persa dietro altri pensieri. Dopo un po' disse:

«Le stesse iniziali, la stessa data di nascita: in genere si fa per non sbagliarsi, ricorrendo a luoghi e persone che siano noti, raggiungibili. Aggius, hai detto. In provincia di Sassari. È un posto turistico?».

Pardo si strinse nelle spalle mentre Viola rispose pronta, leggendo dal monitor:

«No, direi di no. È all'interno. Un'ora di macchina dall'aeroporto. Olbia è quello di riferimento. Millecinquecento abitanti, più o meno. In Gallura, ha un bellissimo borgo medioevale. Ci sono le foto».

Sara commentò:

«Non mi pare scelto a caso. Forse varrebbe la pena di cercare qualche riscontro. E a ogni modo, Biancaneve non aveva ascendenze o parentele in Sardegna, ho controllato».

Pardo allargò le braccia:

«Forse Aggius è solo un posto civetta. Magari qualcuno andava a prenderla all'aeroporto e la portava chissà dove a incontrare chissà chi. In ogni caso, se dobbiamo indagare su questa ipotesi, dobbiamo seguire la tesi. Altrimenti ci facciamo distrarre e non arriviamo a niente».

Viola chiese:

«Che vuoi dire?».

«Che per noi non è stato un incidente, Ribaudo non c'entra, volevano far fuori Biancaneve e tentano di depistare. Solo così possiamo individuare gli elementi che ci servono. Così si fa.»

Sara assentì, decisa:

«Esatto. Con l'aggiunta di stare molto, molto attenti: perché se ciò che abbiamo in mente è vero, quelli che vogliono seppellire tutto sono fortissimi. E capaci del peggio».

Viola posò la penna con cui aveva annotato un appunto veloce.

«Nel frattempo, confinata qui col bambino, mi sono messa al computer ricordando di essere una fotoreporter. E ho lavorato su Biancaneve. Vi dico subito che non è stato facile, doveva essere ossessionata dalla riservatezza. Nessun profilo social, nessun riferimento pubblico, nessuna firma a petizioni online, nessun evento. Niente di niente.»

Pardo chiese:

«Quindi non abbiamo in mano nulla?».

Viola lo trattò con sufficienza:

«Ah, io l'osso non lo mollo di certo, mio caro. E siccome ieri il tuo amichetto era preso dai cartoni animati, ho dragato il web senza sosta e ho trovato questa. Guardate».

Girò il computer verso di loro. Sul monitor si stagliava una donna di media statura, con un tailleur blu e un'acconciatura antiquata. Fissava imbarazzata l'obiettivo. La stessa persona che compariva alle spalle di Ribaudo nell'intervista televisiva.

Viola proseguì:

«La foto è stata scattata tre anni fa durante l'inaugurazione del secondo negozio del marito, tale Cesare Cantore. L'esercizio, una rivendita di scarpe, ha chiuso dopo un anno, è rimasto aperto quello storico qui in collina. Aveva provato in centro, ma gli è andata male».

Sara si fece attenta.

«Il marito, hai detto?»

Viola reperì un foglietto e lesse:

«Fulvia Bianco, casalinga, 15 febbraio 1956. Residente in viale degli Oleandri 21, in città, zona medioborghese, piuttosto anonima. Sposata il 20 giugno 2000 con Cesare Cantore, commerciante, 12 aprile 1950. Niente figli. La bottega esiste dagli anni Settanta, era del padre di lui, fatturato in calo verticale negli ultimi dieci anni. Secondo me, con l'altra apertura si è giocato il tutto per tutto».

Sara si rivolse a Pardo:

«E questo marito...».

Pardo rispose, netto:

«Nessuna denuncia di sparizione. E in generale, mai presente nel database della questura il nome di Fulvia Bianco».

Sara era pensosa.

«Va bene. Cerchiamo di approfondire, sia su di lei sia sul marito. Ci interessa sapere cosa ha fatto dal 1993 a oggi, anche per sommi capi. E senza correre rischi, mi raccomando. Io mi occuperò di un'altra persona, per la quale serve un livello diverso di indagine.»

XVIII

Cinquecentosessanta metri. Centimetro più, centimetro meno.

Non una distanza breve, se sei cieco come una talpa e a stento intravedi un vago bagliore quando ti sparano un flash davanti alle orbite; eppure, un allenamento imprescindibile, un training necessario per mantenere i contatti col mondo.

Perché Andrea Catapano sapeva bene qual era il rischio principale: immergersi nella palude dell'autocommiserazione, scavarsi una nicchia di relativa sicurezza in cui starsene inerti in attesa della morte.

Ne aveva conosciuti tanti, così. Tra quelli della cecità sopravvenuta, naturalmente. Gli altri, i ciechi dalla nascita, i quali non avevano idea di cosa fossero i colori e le luci, erano più fortunati. Si attrezzavano nei primi anni di vita e se la cavavano.

La sfida di Andrea era stata diventare uno che non ci vedeva dalla nascita, pur essendo una persona che fino ai trent'anni ci aveva visto. E ricordava con dolore tutto, in virtù della maledizione che gli gravava addosso: la sua memoria di ferro.

Era solo questione di concentrazione e di velocità. Sentire le cose attraverso orecchie, lingua, pelle e trarne subito le conclusioni. Occorreva allenarsi.

Rientravano in questa prospettiva i cinquecentosessanta metri, centimetro più, centimetro meno. Era la distanza da casa a un certo caffè su un piazzale panoramico – sette tavolini all'esterno e una confortevole saletta interna – dove Andrea si recava ogni giorno, quali che fossero il clima e le condizioni di salute.

Non che non ci fossero altri caffè lungo la strada, perdipiù con un prodotto migliore. E non che gli interessasse il belvedere, anche se le esclamazioni di incanto dei turisti gli solleticavano l'orgoglio cittadino. Erano la distanza e la natura del percorso a essergli fondamentali.

Semafori, traffico, pavimentazione sconnessa, ragazzini che correvano, cani attratti dal suo bastone, signore con grandi borse della spesa che uscivano in fretta dai negozi, auto parcheggiate a metà sui marciapiedi o in doppia e tripla fila. Lungo quel mezzo chilometro tutto cambiava di giorno in giorno, e i suoi sensi dovevano affinarsi per affrontare quel mutamento.

L'andatura era veloce, altrimenti l'allenamento non valeva. Gli ostacoli dovevano essere intuiti. Bisognava variare direzione, scavalcare, schivare, scansarsi, abbassare la testa senza mai modificare il passo. Si figurava l'ammirata curiosità dei pedoni che vedevano procedere come uno normale – anzi, meglio di uno normale – una persona con occhiali neri e bastone bianco. Perché Andrea non voleva sembrare un cieco resiliente. Voleva apparire migliore degli altri.

Poi arrivava al caffè e fiutava un tavolo libero all'esterno, anche col maltempo, al riparo della tettoia. Lo divertiva l'ostilità della cameriera, costretta a uscire all'aperto dal caldo grembo della saletta. Quella mattina non pioveva ma tirava vento, un vento che portava il profumo della terra e non del mare.

Il risvolto positivo di tale consuetudine era che non doveva ordinare. Un caffè con panna, una brioche siciliana con tanto di *tuppo*, un bicchiere d'acqua frizzante. Tre euro e cinquanta, arrotondati a quattro per risarcire la cameriera del colpo d'aria.

Prima di annusare con voluttà la brioche, le narici di Andrea furono sollecitate da un effluvio trascinato da una folata. Piegò la testa di lato e mormorò:

«Hai cambiato sapone, eh, Mora? Me ne sono accorto l'altro giorno. Continui a non usare profumi né deodoranti, il che mi spiazza. Per fortuna ti lavi, almeno».

«Una brutta abitudine che non riesco a togliermi, sì. Posso sedere?»

Catapano fece un affettato cenno di concessione.

«Immagino di non doverti chiedere se sei qui per caso, e a che debbo questo incontro.»

«Il caso non esiste, Andrea, lo sai. È un'invenzione degli stupidi, come le coincidenze. E sai pure che nessuno può sfuggire a nessuno, se si cerca dove si deve cercare.»

«Certo, certo. Se è per questo, sapevo perfino che avremmo avuto un colloquio. Credevo però non prima di altri tre, quattro giorni. I tuoi cuccioli da caccia devono essere di ottima razza.»

Sara ordinò un caffè e un bicchiere d'acqua liscia.

«Altrimenti non li avrei coinvolti. E qualcosa abbiamo già, in effetti.»

Gli riferì quanto avevano scoperto. Andrea seguiva con il naso puntato verso l'alto, quasi volesse percepire l'odore delle notizie che riceveva. Alla fine disse:

«In pratica, tutto concorda con quello che abbiamo intuito, no? Biancaneve stava viaggiando in via riservata. E si spostava con urgenza, altrimenti avrebbe preso un'anonima nave».

Sara integrò:

«E pensava che il volo, oltre alla rapidità, le avrebbe garantito maggiore sicurezza, perché una viaggiatrice solitaria su una nave può essere fatta sparire più comodamente. Parte e non arriva mai, come Ettore Majorana. Nessuno conta i passeggeri, allo sbarco».

Il cieco rise:

«Cosa che, alla prova dei fatti, si è rivelata fallace. Ti pare?».

Sara si piegò in avanti.

«Andrea, ascoltami. Noi continueremo a lavorare su Biancaneve. Concentrandoci sugli ultimi anni e sul marito, che a oggi non ha denunciato la sua scomparsa e si trova in probabile difficoltà economica. Ma stiamo girando attorno al problema. Ti rendi conto che dobbiamo parlare del Bombardiere, vero?»

L'uomo sorseggiò il caffè, riponendo la tazza sul piattino senza sbagliare di un millimetro.

«Certo, lo so. Ci ho ragionato sopra la notte intera. E credo tu abbia fatto lo stesso, no?»

Sara annuì, come se Andrea potesse vederla.

Non avevano mai parlato in maniera esplicita degli archivi: quello di Andrea, costituito dalle migliaia di cassette conservate in un armadio; e quello di Sara, derivato dall'eredità di Massimiliano. Ma era nota a entrambi sia l'esistenza di quel materiale sia la possibilità di reperire documenti di allora.

Andrea disse, assorto:

«C'erano figure marginali nell'indagine, coinvolgimenti relativi, soggetti di secondo piano. Il capo scelse bene, meglio concentrarsi sulla faccenda dell'Emilia-Romagna. Ma c'era sotto qualcosa su cui ieri notte mi sono arrovellato».

«Sì, esatto. Massimiliano stette ancora dietro al Bombardiere, sai che verso la fine era diventato maniaco dei collegamenti. Be', calmatesi le acque, è evaporato. Ha chiuso l'azienda cinque anni dopo, eppure non andava male. Ed è sparito dalla circolazione.»

Una folata improvvisa fece agitare un tovagliolo di carta sul tavolino. Andrea mosse rapido la mano e lo agguantò, senza incertezze.

«Il che mi incuriosisce ancora di più. Cosa può essere successo di tanto rilevante in tutto questo tempo, nella vita di Biancaneve? Che c'era in quella borsa? E soprattutto, perché a te e a me l'indagine sembrava così particolare da meritare attenzione? Insistemmo, non abbastanza forse, ma insistemmo. Perché?»

Sara chiuse gli occhi nel vento, e ricordò.

XIX

Sara bussò piano.

«Mi cercava, dottore?»

Massimiliano sollevò gli occhi dal documento su cui era concentrato, spaesato dal brusco ritorno alla realtà.

«Ah, signora Morozzi. Sì, sì, prego, si accomodi. E chiuda la porta, per cortesia.»

Si potevano contare sulle dita di una mano le volte che si erano ritrovati da soli. Tamburi era assai rispettoso delle procedure e delle gerarchie, quindi interloquiva di regola con i responsabili delle indagini che riportavano a lui anche dell'attività dei singoli. Sara era un'analista dell'Unità, e in quanto tale veniva ascoltata nel corso delle riunioni. Capitava di rado che fosse chiamata a un colloquio individuale.

Entrò e rimase in piedi. Il suo posto, negli incontri in chiusura di giornata, era su una sedia addossata alla parete, in disparte; adesso non sapeva dove collocarsi.

Tamburi le indicò la poltroncina davanti alla scrivania. La scrutò a lungo, e Sara sostenne lo sguardo. Sbracciato, il colletto sbottonato, la cravatta allentata, i capelli grigi ribelli, il viso sbarbato con cura, gli occhi penetranti, di un verde scuro che sembrava quasi nero, fissi in quelli calmi di lei. Sara si accorse di tenere i palmi aperti e di aver manifestato un'impercettibile apertura delle spalle quando si era affacciata sulla porta: un segnale inequivocabile di interesse e di attrazione. Tentava in tutti modi di governare la tempesta che le era esplosa in corpo.

L'uomo ruppe il silenzio.

«Ieri sera non mi sono reso conto di averla costretta in ufficio fino a tardi. È un comportamento inqualificabile per il quale desidero scusarmi.»

«Non si preoccupi, dottore. Eravamo tutti qui, in fondo, non solo io.»

Tamburi si alzò, incapace di restare fermo, e andò alla finestra.

«Gli altri non hanno a casa un bambino piccolo, e... e un marito. Non è giusto obbligare una madre a rientrare quando il figlio, magari, già dorme. Le ripeto, mi dispiace davvero.»

A Sara non sfuggì l'esitazione nel riferimento a Carlo, e la parte irrazionale di lei danzò felice.

«A Giorgio pensa il papà, sono contenti entrambi. E a me questo lavoro piace tanto, dottore. Sono consapevole che sono tempi difficili, questi.»

Massimiliano si girò verso di lei, le mani in tasca, e la scrutò di nuovo. Quegli occhi avevano un modo così virile e fragile di guardare, sembravano una chiave innocente per chiedere aiuto.

«Sì, è vero, è un momento particolare, abbiamo tante cose in ballo e forze limitate, devo chiedervi un impegno maggiore. Chi viene dai Servizi, come Catapano e Pandolfi, è abituato, i militari come me e Sfinzi anche. Ma a lei mi pare di chiedere proprio molto. È sicura di farcela, signora?»

La domanda, che pure dimostrava empatia, la irritò. Cosa pensava, che non fosse in grado di restare a lavorare senza il permesso del marito?

«Dottore, le ho detto di non preoccuparsi per me. La ringrazio, ma io faccio quello che voglio fare. In maniera indipendente dalla volontà di chiunque.»

Massimiliano arrossì, sorpreso.

«Certo, certo. Non lo metto in dubbio, si figuri. Volevo chiederle una cosa, in realtà, ed è il motivo principale per cui l'ho convocata. Ho notato che ieri ha palesato una certa resistenza a lasciare l'indagine marginale che le è stata assegnata per seguire al suo posto la faccenda dell'Emilia-Romagna, che è invece più interessante. Posso chiederle per quale ragione?»

Sara si stava sforzando di far sbollire l'irritazione, e non era disposta a tornare così facilmente sul professionale.

«Mah, dottore, non saprei. Sensazioni, credo.»

Tamburi si sedette. Aveva l'aria mortificata, ma anche offesa. Si era scusato, ed era stato rintuzzato. Era pur sempre il capo, maledizione.

«Mi perdoni, signora, ma vorrei conoscere meglio queste sensazioni. Il nostro è per molti versi un lavoro basato proprio sulle sensazioni. La sua collega, Pandolfi, mi è parsa entusiasta di spostarsi sull'altra indagine. Come mai lei no?»

Sara appuntò le pupille in quelle del superiore. Tu sarai anche il capo, maledizione, ma io sono femmina.

«È semplice, dottore. Teresa forse guarda a certi particolari, io ad altri.»

«E quali sarebbero, i particolari a cui guarda lei?»

Nel tono c'era una specie di risata trattenuta, che voleva essere di considerazione e tenerezza. Ma lei la interpretò come sfottente e dunque l'irritazione si collocò ai massimi storici. Sara avvertì scorrere nelle vene la fredda determinazione a metterlo spalle al muro.

«Dante Miccio, in codice il Bombardiere, è un imprenditore dell'import-export di cereali. Ha un'azienda in crescita e fa la spola con Roma, dove ha contatti con le ambasciate e con politici di secondo piano.»

«Signora, conosco l'indagine. La prego, mi parli di quelle sensazioni.»

«Non abbiamo molte intercettazioni ambientali che coinvolgono Miccio, solo le microspie negli uffici del Comune. Ogni volta, però, la qualità iniziale non corrisponde a quella finale. Mi spiego meglio: Miccio chiude le finestre, finge di non sentire le risposte che gli danno, e se il tono risulta troppo basso, ripete lui, ad alta voce, quello che gli si dice. Insomma, quando c'è lui è tutto più nitido.»

Tamburi aggrottò la fronte.

«Continui.»

«Ho avuto modo di assistere a due incontri del Bombardiere con la sua segretaria, nome in codice Biancaneve. Entrambi sono avvenuti fuori dell'ufficio, in un supermercato il primo e in un ristorante il secondo. Non ha molto senso, se si pensa che lavorano insieme in azienda e quindi hanno molte occasioni per interloquire.»

«Be', non sarebbe poi così strano: una relazione tra un imprenditore e la segretaria...»

L'occhiata di Sara raggelò Massimiliano. Il quale sbiancò, e poi aggiunse:

«Intendo dire che a volte si possono creare delle situazioni per cui...».

Sara riprese, atona:

«Sono incontri brevissimi. Il Bombardiere è terrorizzato dalle notizie che arrivano sugli avvisi di garanzia e sugli arresti di imprenditori al Nord. È cauto al limite della follia, ha paura di qualsiasi cosa. E ha simpatie omosessuali. Escluderei motivazioni sentimentali, dottore».

«E come fa a risalire alle... alle simpatie omosessuali dall'osservazione di due incontri brevi?»

Sara non ebbe pietà:

«Il linguaggio non verbale, dottore, è una scienza. Se qualcuno prova attrazione per una persona, lo mostra con tutta evidenza. Esistono decine di segnali, e io sono in grado di elencarglieli tutti. Peraltro, come risulta dai rapporti di sorveglianza, il Bombardiere fruisce di prostituzione omosessuale».

Tamburi si alzò di scatto e tornò alla finestra, dando le spalle a Sara. I muscoli della schiena erano tesi, il collo rigido. Una parte di lei gioì trionfante, un'altra ebbe un rigurgito di tenerezza.

«Quindi, signora, lei pensa che il Bombardiere abbia con la segretaria una relazione di diversa natura. Quale?»

«Lei custodisce qualcosa per suo conto. Qualcosa che il Bombardiere le consegna di volta in volta e ha a che fare con gli appuntamenti con politici, funzionari e altri *imprenditori. Penso siano le registrazioni che fa di questi appuntamenti.»*

Massimiliano rimase in silenzio. Poi si volse indietro, e il viso era di nuovo quello impassibile del capo dell'Unità.

«Le credo, signora. E sono d'accordo con lei sull'interesse che potrebbe derivare dalla sorveglianza, nel lungo periodo. Ma si tratta di figure di secondo piano, anche quelle a cui ha accesso il nostro Bombardiere. Per carità, il dato ci dice molto, soprattutto sulla progressiva perdita di sicurezza di questa gente. Ma continuo a ritenere che la concretezza dell'altra indagine sia da preferire, al momento. Le sono grato comunque per la quantità e la qualità del suo impegno.»

Sara si ritenne congedata, ringraziò con un cenno della testa e si alzò per andarsene. Nulla in lei avrebbe tradito come si sentiva, ma aveva la morte nel cuore. Aveva riposto tante segrete speranze nell'esito di quell'incontro.

Aveva appena afferrato la maniglia della porta, quando udì di nuovo la voce di Massimiliano.

«Non si volti, la prego. Mi ascolti soltanto.»

Il cuore le saltò in gola. Sara restò immobile, come congelata.

La voce riprese, accorata:

«Mi scusi per la confidenza che mi sono preso. L'unica cosa che ho bisogno di dirle, e lo faccio in virtù dell'età che ho e della vita che ho avuto, è di stare attenta a non privilegiare altro, fosse anche il lavoro, rispetto ai suoi sentimenti. Se ne pentirebbe per l'intera esistenza».

Il viso verso l'uscita, Sara disse:

«E chi glielo dice, dottore, che restando qui io non privilegi i miei sentimenti?».

Non si girò a guardarlo. Non voleva interpretarne postura ed espressione.

Ma quando fu fuori, sorrise.

XX

Sara concluse:

«Eccola, la ragione. A portarmi a rimanere concentrata su queste figure marginali e ininfluenti era stata la convinzione che il Bombardiere registrasse le conversazioni, e quindi potesse diventare un veicolo per arrivare a qualcuno di rilevante. Ma non fu così, e ciò rende inutile anche la memoria, ti pare?».

Andrea attese che la cameriera rimuovesse le tazzine vuote, poi disse:

«Sì. E quello che mi è venuto in mente ieri notte, mentre riflettevo sulla storia di allora, è che il dubbio sulla nitidezza delle incisioni venne proprio a me, ricordi? Le microspie che piazzavamo negli uffici degli assessori facevano schifo, delle intercettazioni non si capiva niente. Quando c'era di mezzo il Bombardiere, invece, parevano realizzate in studio».

La donna scrutava l'orizzonte grigio e i pochi turisti impavidi che si fotografavano dal muretto del belvedere.

«E quindi fu giusto quello che decise Massi, no? Ci concentrammo sull'Emilia-Romagna, dove qualche pesce più grosso alla fine nella rete ci restò.»

Andrea annuì:

«Può essere vero per quanto riguarda quei tempi. Ma adesso c'è quella stessa segretaria che prende un volo per la Sardegna, sotto falso nome e con una borsa in mano. E c'è che l'aereo cade per cause imprecisate e imprecisabili, visto che i rottami con ogni probabilità non saranno mai recuperati. E, guarda un po', c'è anche che la polizia viene invitata a chiudere in fretta l'indagine. Non è troppo, dato che...».

«Che le coincidenze non esistono, certo. Il punto è: come ci muoviamo, adesso? Fermo restando l'approfondimento su Biancaneve, intendo».

«Ti voglio fare io una domanda, Mora. Una domanda che riguarda la nostra comune amica Bionda. Come ti è parsa di recente?»

La donna sembrò disorientata.

«Non saprei... non ci incontriamo spesso. Ci siamo incrociate qualche volta, ma... Le cose sono cambiate, Andrea. L'hai sentita, è alle prese con un lavoro che ha avuto molti cambiamenti, non dev'essere stato facile per lei, e...»

Andrea scoppiò in una risata gracchiante.

«Ah, la solita Mora, che difende a spada tratta l'amica contro l'evidenza. Non mi riferivo al suo spirito né all'atteggiamento aggressivo, che pure mi è parso esagerato. Il mio pensiero è piuttosto un altro, ed è riferito proprio all'argomento di cui stiamo parlando.»

«Cioè?»

«Bionda è l'unica chance che abbiamo per scoprire cosa hanno fatto Biancaneve e il Bombardiere da quando noi siamo usciti dall'Unità. Ma sappiamo tutti e due che Teresa può rivelarsi un'arma a doppio taglio.»

«Che vuoi dire, Andrea? Che significa, un'arma a doppio taglio?»

Il cieco annusò un colpo di vento, che gli raccontò chissà quale storia. Poi riprese, e il tono si era fatto triste:

«Mettiamo che ci sia qualcuno, e i segnali portano a questo, interessato a insabbiare in fretta la storia. Mettiamo che si tratti di gente potente. Mettiamo che questa gente abbia qualcuno posizionato dietro qualche scrivania a Roma. E mettiamo che a questo qualcuno arrivi la telefonata di una dirigente dai capelli biondi, la quale lo avvisa di due pensionati che per passare il tempo scavano dove non devono scavare».

Sara scosse il capo:

«Dài, Andrea! Bionda non lo farebbe mai. Non ci metterebbe in pericolo. Senza contare che si ritroverebbe a dover spiegare come l'ha saputo, e che tipo di contatti ha mantenuto con noi. Comunque l'hai detto tu stesso, no? È l'unica che ci può far scoprire cosa è successo nel frattempo».

Andrea rifletté. Poi disse:

«Allora devi incontrarla, Mora. Devi guardarla e parlarle, come fai tu. Devi capire se può finire e farci finire nei guai. E devi pure convincerla a dedicarsi alla ricerca, per farci sapere quello di cui abbiamo bisogno».

Sara concordò.

«Va bene. La chiamerò, allora. Intanto, come ci muoviamo?»

Andrea le sfiorò la mano, dolce:

«Mi poni una domanda di cui conosci già la risposta, Mora. Dobbiamo capire dov'è finito il Bombardiere, come vive e come si mantiene. Perché magari all'epoca, pur scegliendo con raziocinio, il capo ha fatto un errore e si è concentrato sull'indagine sbagliata».

XXI

Viola si era piazzata in un punto perfetto, individuato il pomeriggio prima: una rientranza fra due palazzi, di fronte al negozio. Accanto a uno dei portoni, c'erano le vetrine di una bottega sita nel cortile.

Era un luogo strategico: avrebbe potuto fingersi una turista di passaggio che faceva compere, oppure ancora una persona in attesa di qualcuno che tardava a un appuntamento. Si spostava ogni tanto, arrivava in fondo alla strada e tornava indietro, seguendo la folla sciamante in una delle principali vie dello shopping all'interno del pretenzioso quartiere commerciale.

Sapeva fare il suo mestiere. Era brava, lo aveva dimostrato finché aveva potuto; e se qualcosa oggi le dava malinconia, era l'essere costretta a dimostrarlo di nuovo. A se stessa, perfino.

L'importante era esplorare il campo, assumere ogni informazione disponibile e cercare quelle meno evidenti; e per farlo serviva tempo. Il lavoro che una volta si chiamava di redazione – e oggi consisteva nelle ore trascorse davanti al computer mentre Massimiliano dormiva, giocava o guardava i cartoni – era aumentato rispetto a quello in loco, ma non poteva essere esaustivo. Questo le era chiaro.

Studiato il personaggio, Viola si era posta il problema di cosa fare: se limitarsi a un diligente elenco di dati da consegnare a Sara, per un'analisi i cui risultati la donna avrebbe condiviso solo in parte; o se completare l'opera andando a prendere coscienza di ciò che non poteva essere reperito in rete. Espressioni, facce, movimenti, ma anche frequentazioni, orari. Il quotidiano, insomma.

Mentre osservava il negozio di fronte, centellinando gli sguardi per non dare nell'occhio, la fotoreporter formulava tra sé molte domande su Cesare Cantore, coniuge di Fulvia Bianco.

Prima di tutto, come potesse non sapere che la moglie si trovava, sotto falso nome, a bordo di quell'aereo. E se invece lo sapeva, per quale motivo non lo avesse ancora denunciato. Si chiedeva poi come mai il negozio fosse regolarmente aperto. E ancora, se le gravi difficoltà economiche che emergevano dai bilanci e dai post che l'uomo condivideva sui social, sempre dedicati ai poveri imprenditori ai quali nessuno dava una mano, avessero a che fare col viaggio della donna sul light jet; oppure se ci fosse sotto una vicenda sentimentale, una fuga d'amore o un rapporto tossico.

Tutte congetture da confutare coi fatti. Era tra i primi insegnamenti ricevuti alla scuola di giornalismo: accertarsi, verificare, moltiplicare le fonti.

Per questo si era decisa a scendere in campo dopo aver affidato il figlio alla vicina di casa, madre di una bambina della stessa età di Massimiliano. E adesso era in strada a seguire gli eventi, con tanto di macchina fotografica al collo.

Dentro il negozio, un ambiente di media grandezza, c'era Cantore con due impiegati, un uomo e una donna abbastanza giovani. I rari clienti succedutisi erano stati serviti dai ragazzi, ma nessuno aveva comprato niente pur avendo provato un'infinità di calzature. Il proprietario aveva invece trascorso diverso tempo al telefono, sia a quello fisso sia al cellulare.

Era un uomo magrissimo, con capelli e baffi tinti di un improbabile nero nel tentativo mal riuscito di mostrarsi meno vecchio. Indossava un abito di buon taglio ma antiquato. Sembrava agitato: gesticolava, camminava su e giù, lanciava occhiate attorno come temesse di essere spiato. Viola avviò la modalità video della macchina fotografica, per riprenderne la danza isterica dall'altra parte della strada.

Man mano che si avvicinava l'ora di pranzo, frangente in cui Viola avrebbe dovuto andare a riprendere il bambino dalla vicina, la folla si diradava. La ragazza era piuttosto insoddisfatta del materiale ricavato sin lì: aggiungeva poco o nulla a quanto già sapevano di Cantore e della sua attività commerciale.

Stava per levare le tende, quando nei pressi del negozio giunsero due uomini. Attirarono subito la sua attenzione, perché si collocarono in maniera da non essere visibili dall'interno e perché non erano per nulla omogenei ai passanti: uno gigantesco, olivastro e dal collo taurino, l'altro di bassa statura e più avanti negli anni, con un berretto di lana calzato fin quasi sugli occhi. Viola cominciò a filmare, ritraendosi nell'ombra della rientranza fra i palazzi.

I due si scambiarono un cenno, e il più basso si allontanò. Il gigante entrò nel negozio. Una signora provava un paio di scarpe, assistita dalla commessa. Il commesso invece non si vedeva, forse era in un vano magazzino il cui accesso non era visibile dall'esterno. Viola riprese la reazione di Cantore all'ingresso dell'uomo: arretrò verso un angolo. La scena doveva essersi svolta nell'assoluto silenzio, perché la signora e la commessa non furono attratte da ciò che stava accadendo.

Il gigante si avvicinò al punto dove si era ritirato Cantore e gli bisbigliò all'orecchio, andando poi ad attenderlo sulla porta. Il commerciante disse qualcosa alla commessa che gli rispose distratta, e con evidente riluttanza precedette l'omaccione. Appena furono lontani dalla vista delle due donne, il gigante abbrancò Cantore per un braccio e lo condusse nell'androne in cui si era nascosto l'uomo basso.

Viola si mosse rapida, cambiando punto di osservazione. Si collocò nei pressi di un enorme negozio di catena dalle molte vetrine che le offriva una visuale più ampia benché parziale dell'androne, e si augurò che lo spazio dove gli uomini si erano piazzati fosse quello giusto.

Fu fortunata. Il gigante, che incedeva come sottobraccio a un amico, non appena nell'androne scaraventò Cantore contro la parete, a breve distanza dall'uomo col berretto di lana. Viola finse di scattare foto alla fontana nei pressi, contando sulla capacità del nuovo obiettivo di catturare immagini in situazioni di scarsa luminosità.

L'uomo basso tolse il berretto, esibendo una spettacolare capigliatura biondo platino. Aveva un naso enorme, e tutte le caratteristiche per risultare una figura comica: eppure Cantore non solo non rise, ma spalancò gli occhi biascicando parole che Viola non riuscì a comprendere.

Approfittando di uno spiraglio tra il gigante e il portone, il commerciante tentò di allontanarsi; l'altro, però, lo afferrò per il collo e lo schiacciò al muro. Viola vide che Cantore non toccava terra con i piedi, e che cambiava rapidamente colore. Le mani erano artigliate a quella del gigante, nel tentativo di liberarsi.

Proprio quando la ragazza si domandò se fosse il caso di richiamare l'attenzione degli astanti per impedire l'omicidio che si stava consumando, il biondo fermò il gigante e questi lasciò andare Cantore, il quale cadde in ginocchio tenendosi la gola e tossendo furioso. Il gigante lo rimise dritto. Il biondo gli parlò brevemente, poi gli sputò in faccia e fece cenno al gigante di uscire. L'omone mollò uno schiaffo a Cantore, che cadde un'altra volta. I due se ne andarono. A un metro da loro, l'ignaro e sonnacchioso passeggio di novembre non si era mai fermato.

Viola riprese il commerciante finché non si alzò, asciugò il viso e sistemò alla meglio vestito e capelli. Poi si avviò verso il negozio, le spalle curve e un'espressione che dichiaravano l'età dell'uomo e anche qualche decennio in più.

Adesso, pensò Viola, ho visto abbastanza.

XXII

Pardo non si capacitava. Continuava a camminare avanti e indietro. Sembrava uno di quei personaggi dei cartoni animati a cui viene fuori uno sbuffo di rabbia dalle narici, mentre sopra la testa si manifesta un fumetto con asterischi e cancelletti. Il piccolo Massimiliano, in groppa a uno stoico Boris sdraiato, lo fissava ridendo.

Sara sedeva in poltrona. Le mani in grembo nella solita posizione inespressiva, osservava lo schermo del portatile. Viola, rossa in viso e labbra serrate, ostentava disinteresse per la reazione dell'uomo.

«La cosa incredibile, ripeto, incredibile, è che non hai sentito nemmeno l'esigenza, ripeto, l'esigenza, di informarci di quest'assurdità. Mettere a rischio la tua incolumità, facendo una cosa che non sei preparata a fare! Sei un'incosciente, ecco cosa sei. Ripeto: un'incosciente!»

Viola sbuffò:

«Primo: non sei mio padre, non sei mio fratello, non sei mio marito. E anche se lo fossi, quello che faccio io non sono fatti tuoi. Ripeto: non sono fatti tuoi. Non ne posso più di starmene tappata in casa, avrò il diritto di andare a fare due passi o no?».

Pardo era il ritratto dell'incredulità:

«Due passi? Due passi, dici? Ma ti rendi conto che sei finita in mezzo a un pestaggio? Che invece di chiamare la polizia, che è preposta a tutelare l'ordine pubblico, ripeto, l'ordine pubblico, ti sei messa a riprendere la scena come fosse un film?».

«Oh, senti, smettila con questo patetico sessismo! La polizia, la polizia... Ho visto l'ordine pubblico che siete in grado di mantenere, se in pieno giorno, in una via del quartiere commerciale, due tizi possono picchiarne indisturbati un altro. Bravi, ripeto: bravi!»

L'ispettore si era fatto livido.

«Se quelle come te non ci chiamano, come possiamo sapere che cavolo succede? O dovremmo pattugliare ogni androne di palazzo? Lo vuoi capire che hai un figlio? Un figlio, dannazione!»

Puntò Massimiliano col dito. Il tono e il gesto furono male interpretati da Boris, che si sollevò sulle quattro zampe e scoprì le zanne ringhiando, pronto a difendere il bambino da quel bruto.

Pardo lo scrutò, fra il sorpreso e il terrorizzato.

«Maledetto ingrato, ti ho sfamato e dato alloggio, e questa è la tua riconoscenza. Possibile che i valori non esistano più? E tu, tu non dici niente?»

Sara, interpellata, trasse un sospiro:

«Anch'io credo che tu, Viola, sia stata impulsiva e abbia corso un rischio che avevamo detto di evitare. Però è anche vero che ora abbiamo elementi nuovi e molto importanti».

Pardo allargò le braccia, sconfitto:

«Va bene, qui dentro sono l'unico dotato di raziocinio. Uno fa tanto per procurarsi informazioni in maniera prudente e riservata, e questa se ne va a fare la turista nel mondo della malavita. Contente voi...».

Viola rise, sarcastica:

«Ah, sì? E quali sarebbero le informazioni che hai ottenuto in maniera prudente e riservata?».

L'ispettore la squadrò con aria di sfida.

«Allora, direttamente dall'aeroporto: il biglietto che la nostra signora Fulvia/Flavia ha pagato per andare in Sardegna ammontava a quattromila euro, IVA inclusa, il che è strano per una col marito in difficoltà economica. Il comandante pilota la sera prima dell'incidente ha dormito a casa propria, dove si era ritirato alle otto di sera. Ho sentito il portiere del residence: nessuno stravizio, nessuna accompagnatrice, nessun accompagnatore occasionale. Scordiamoci l'errore umano.»

«Tutta roba che già sapevamo, insomma. Conferme, nient'altro. Io invece porto le novità.»

«Per tua norma, piccola dilettante allo sbaraglio, le conferme sono più importanti delle notizie. E se fossi sul serio la fotoreporter che millanti di essere, dovresti saperlo. Ma già, voi giornalisti siete quelli del mostro in prima pagina e della smentita in ultima... Ho anche visto che la manutenzione dell'aereo era affidata a un'impresa esterna, che l'ultima revisione è stata approfondita, che la compagnia è in regola con tutti i pagamenti. E aspetto notizie dalla Sardegna su questa con ogni probabilità inesistente Flavia Badas di Aggius, che credo riceverò tra oggi e domani. Perché è così che si lavora, sai?»

Sara, che non si era staccata dal computer, disse:

«Ora, però, vorrei scoprire chi sono i due soggetti che così amichevolmente hanno chiacchierato col marito di Biancaneve. Tu che ne dici, Davide?».

«Le modalità sono quelle tipiche degli usurai, non c'è dubbio. La cosa strana sono il momento e il luogo. Di solito è gente che minaccia e ti aspetta sotto casa la sera tardi, quando nessuno vede. Invece si sono presentati là, in pieno giorno.»

Viola disse:

«Comunque l'episodio si inquadra in una generale agitazione di Cantore. Mi sembrava altrettanto preoccupato al telefono, ci sono le foto nell'altro file».

Sara annuì.

«Ho visto. Il linguaggio del corpo è chiaro: è stremato, chissà da quanti giorni non dorme. Ha la schiena in tensione e una concitazione nei movimenti delle mani che sono segni tipici di una personalità sovraeccitata. Potrebbe persino far uso di psicofarmaci o di cocaina. La disperazione si vede tutta.»

Pardo chiese:

«Riesci a leggere che cosa si dicono?».

Sara fece una smorfia.

«Poco, i visi sono in ombra. Lui chiede tempo, lo dice più volte: è questione di qualche giorno, solo di qualche giorno. Il tizio dai capelli chiari si gira verso l'altro e dice: toglimi di torno questo schifoso, se no lo ammazzo. Quello grosso non guarda mai verso l'obiettivo, quindi non saprei. Entrambi, anche nella violenza, sono metodici e tranquilli. È di sicuro il loro lavoro, sono abituati.»

Viola commentò:

«Sì, si capiva anche dal modo in cui l'hanno trascinato nell'androne. È un'impressione mia, ma Cantore non mi ha dato l'idea di aver paura. Era più…».

Si fermò, come non sapendo cosa dire. Fu Sara a finire per lei:

«Rassegnato. Anch'io vedo questo. Quasi non avesse speranze. Le spalle, le mani: va dove lo porta quello grosso come un condannato all'esecuzione. Sa di non poter evitare il confronto. E quando si rialza, nonostante le botte, è come sollevato, vedete? È meno curvo».

Pardo disse:

«Certo, è un avvertimento, mica lo ammazzano all'ora di pranzo in mezzo alla strada. È sollevato perché se l'è cavata. Che si fa, adesso?».

Sara rifletté. Il silenzio era rotto dal ciangottare del piccolo Massimiliano, che cercava di catturare l'attenzione di un Boris ancora impegnato a fissare Pardo. In cagnesco, è ovvio.

«Tu, Davide, pensi di riuscire, con un paio di fotogrammi che Viola tirerà fuori, a identificare questi due soggetti?»

«Immagino non sia difficile. Sono professionisti, e dal modo di fare di Cantore mi pare li conoscesse già. Chiedo agli amici della squadra antiusura.»

«Perfetto. Tu, Viola, potresti ricostruire con più particolari gli ultimi anni della vita di Cantore e della moglie? Che so, incontri pubblici, interviste. In fondo si tratta di uno dei negozi più antichi del quartiere, lui è un decano fra i commercianti.»

«Ci provo, ma a una prima occhiata non c'è niente. Però approfondisco.»

Sara la ringraziò con un breve inchino del capo.

«Sì, fallo. Io ho un appuntamento, a seguito del quale, spero, potremo allargare il campo d'indagine.»

XXIII

Sara scese al piano inferiore, sotto il livello della strada. Tutto si sarebbe aspettata per l'incontro con Teresa, tranne che avvenisse in un posto simile.

La regola era di non ricorrere agli stessi luoghi. Cambiare orari, comune; evitare zone poco frequentate, nelle quali si poteva dare nell'occhio; oppure troppo affollate, col rischio di consentire a chi sorvegliava di spiare senza essere visto.

Lo spazio individuato dall'ex collega corrispondeva alle caratteristiche stabilite, e tuttavia era sorprendente. Perché la grande libreria in centro, tre piani di volumi e dischi con un delizioso bar nell'interrato, non si confaceva a Bionda. Lei era un tipo da superalcolici, da locali fumosi e raffinati, da privé ambigui. Non certo da tisane e tè alla menta da sorbire in solitudine leggendo un libro a scrocco.

Eppure, era proprio lì che con un messaggio inviato da un numero anonimo Teresa aveva fissato l'appuntamento, anticipando Sara nell'intenzione di chiedergliene uno. E fu lì che Mora la trovò, capelli tirati all'indietro, tailleur nero, niente gioielli, grandi lenti scure e tazza fumante davanti. Dal pallore, Sara capì che Teresa non si era nemmeno truccata; il che, dato il personaggio, equivaleva a essere venuta in pigiama.

Sara sedette e domandò, con una vena di preoccupazione:

«Stai bene?».

«Chiesto da una che sembra una nonnina su una scatola di biscotti? Sì, sto una favola. E ti dico che anche in questo posto assurdo già due uomini ci hanno provato, negli ultimi giorni.»

«Mi stai dicendo che sei diventata frequentatrice di una libreria? Devo cercare un esorcista?»

Bionda abbassò gli occhiali.

«Be'? Che c'è di strano? Ci sono i libri, i dischi, passa bella gente. Poi gli autori vengono a parlare delle loro opere. Spesso si dorme, ma a volte litigano ed è uno spettacolo. E qui fuori ci sono i migliori negozi di abbigliamento della città, dove una come te non la farebbero neppure entrare, d'accordo, ma di cui io sono cliente abituale.»

«Se ti fa piacere intenderla così… Lo sai che non ho mai avuto interesse, per certe cose. Del resto, se il caffè è buono, figurati: si può discutere tranquille, almeno.»

Dopo che Sara ebbe ordinato e il suo caffè si unì al cappuccino che stava bevendo lei, Teresa disse:

«Hai ragione, Mora. Non sei mai stata diversa da come appari. Sincera fino all'autolesionismo, decisa nelle scelte. E sola. Hai perso un figlio senza vederlo crescere, ti sei attirata la riprovazione dell'intero ambiente: la donna del capo, chissà che benefici di carriera avrà… E invece niente, hai navigato in mezzo alle tempeste e te la sei cavata».

Sara sorseggiò dalla tazzina.

«Tutto giusto. Tranne una cosa: non sono sola. Io ho Viola e il piccolo Massimiliano. E persino quel fessacchiotto di Pardo col suo cane enorme. Una specie di famiglia, insomma.»

Teresa si rabbuiò.

«Già. Ma sei sola, in realtà. Siamo soli tutti: io, tu, Andrea. Siamo soli perché sappiamo quello che succede davvero, che non va sui giornali né nei libri di storia. Siamo gli unici ad aver assistito al backstage, mentre gli altri si sono goduti il film che hanno voluto fargli vedere. Siamo soli, Mora. A meno che non stiamo insieme: quello è l'unico momento in cui non lo siamo. Perciò ti ho cercata.»

Sara la fissava, assorta. Non l'aveva mai vista così, denudata della sua baldanza. I tratti duri, i movimenti nervosi delle dita e le gambe accavallate di continuo tradivano una tensione che gli occhi, se non fossero stati coperti dalle lenti scure, avrebbero senz'altro confermato.

«Non capisco. Cosa vuoi dirmi? E soprattutto, perché sei così agitata?»

Teresa distolse lo sguardo, poi si riprese:

«Voglio dirti che ci sto. Che, nonostante sia arrivata una disposizione precisa a fermare ogni indagine sull'incidente del light jet, appunto perché catalogato come incidente, credo che tu e Andrea non abbiate sbagliato, e che la presenza di Biancaneve su quell'aereo cambi la prospettiva alla radice. E siccome anch'io, proprio come voi, voglio la verità, non mi lascio inquinare da questi tempi di merda».

Sara sollevò una mano.

«Aspetta, frena: che significa che è stato catalogato come incidente?»

«Semplice: è stato deciso che come tale dev'essere archiviato. Vorresti sapere perché, eh? Non lo so. E nessuno me lo dirà. Ignoro se è perché non ci sono risorse, né se faccia comodo che sia così, o che addirittura si voglia coprire qualcuno. Ma siccome le coincidenze non esistono...»

Sara si fece pensosa:

«La faccenda si rivela interessante. E tu, immagino, ti sei già messa al lavoro».

«Certo, cara. E tutta sola. Non intendo coinvolgere chi collabora con me, non sia mai gli scatti il desiderio di raccontare. Scartabellerò archivi, farò ricerche su Internet e persino un paio di innocenti telefonate. Insomma, hai davanti a te un'agente sul campo.»

Suo malgrado, la donna dai capelli grigi sorrise.

«E cos'ha scoperto, l'agente sul campo?»

Teresa estrasse dalla borsa un fascicolo e lo mise sul tavolino.

«Il Bombardiere. Mi sono detta: che gli sarà successo? Era un ometto insignificante, marginale, con un'azienduccia da quattro soldi e una buona disponibilità a pagare mazzette. Ti ricordi quanto ridevamo, a vedere la sua aria terrorizzata? Gli prese male, davanti alla gente che andava in galera. E dopo un po' chiuse l'azienda. Noi pensammo: ok, si è cagato così tanto addosso che si è ritirato in pensione. E invece no, cara Moretta imbiancata. Il tizio si è evoluto in un mostro, come in un film dell'orrore. Un'ascesa costante, una marea di società acquisite sotto falso nome, poi tramite prestanome, poi in via diretta ma sempre tenendosi nell'ombra. Per lui niente consigli d'amministrazione, niente presidenze né ruoli chiave. Ma i movimenti azionari, le compravendite delle quote, le acquisizioni e le fusioni li gestisce lui, tramite una rete di professionisti che ogni tanto viene azzerata. È tutto qui dentro, anche la lista delle aziende.»

Sara era stupefatta.

«E hai ricostruito questo ginepraio da sola?... Ma come...»

Teresa fu gratificata dalla sorpresa dell'amica.

«I capi fanno lavorare gli altri. E hanno un sacco di tempo libero. Poi l'accesso di massimo livello ti fa arrivare ovunque, anche agli archivi altrui, senza neanche dover sedurre qualcuno. Una comodità.»

«E come ha fatto, il Bombardiere? Non aveva tante sostanze, all'epoca. Per accumulare soldi...»

«Ci vogliono i soldi, mi è chiaro. Ecco, questo non te lo so dire. Ma è certo che si è ritrovato la strada spianata. Per carità, l'ha pure saputa percorrere, però è stato favorito da personaggi che avevano potere o lo hanno avuto negli anni successivi. Secondo me, aveva raccolto materiale utile per ricattarli, oppure ha dei soci occulti che lo finanziano. Io mi sono fermata a lui.»

«E hai fatto un gran lavoro, Bionda. Mi domando tuttavia come possa entrarci Biancaneve. Con la chiusura dell'azienda fu licenziata, o ricordo male? A meno che il Bombardiere non l'abbia fatta assumere da qualcun altro...»

«Ecco la mia Mora, sempre la prima della classe. Ti spiego: la nostra Biancaneve fu in effetti licenziata insieme a tutti i dipendenti della defunta società del Bombardiere. Però, e ci sono le evidenze, per chissà quale motivo lui, tramite diverse aziende, ha continuato a farle ricevere dei bonifici mensili. Soldi che, messi insieme, formavano uno stipendio vero e proprio, anche buono, con tanto di indicizzazione e scatti. Alla fine la somma era arrivata a circa diecimila euro al mese.»

«E lei che faceva, in cambio?»

«Niente. Anzi, ti dirò di più: non si sono mai rivisti, in apparenza. Non esistono rapporti su incontri, corrispondenza, intercettazioni. Nulla. Per oltre venticinque anni, lui garantiva i bonifici e lei riceveva i soldi, senza nemmeno scambiarsi gli auguri di Natale.»

L'altoparlante della libreria annunciò l'inizio di un evento. Alcune persone si alzarono dai tavolini e si avviarono per parteciparvi.

Sara disse:

«Hai detto venticinque anni. Non mi tornano i conti: sono ventisei dalla chiusura».

Teresa applaudì.

«Mamma mia, quanto sei brava. Sicura di non voler tornare in servizio? In capo a sei mesi, saresti a Roma a dirigere la rete. Hai ragione, manca un anno, più o meno. L'ultimo, per l'esattezza.»

Sara si sporse in avanti.

«Si sono incontrati?»

«Sì, in un posto a ovest, vicino al mare. Ho i tracciamenti dei cellulari e persino un paio di foto satellitari.

Non chiedermi però come me li sono procurati, sarà meglio per te. Si sono visti in sei occasioni, e ogni volta la sommatoria dei bonifici è aumentata in modo considerevole. La causale era sempre la stessa: consulenza.»

«E che tipo di consulenza?»

«Senti, Mora, accontentati. Questo ho, e non mi pare poco. È un buon punto di partenza, credo.»

Sara prese il fascicolo che l'amica le porgeva, e lo mise in borsa.

«Lo è, Bionda. Non ti devo ringraziare, giusto? Facciamo lo stesso mestiere, Andrea, tu e io. E anche noi, in qualche strana maniera...»

Il labbro inferiore di Teresa tradì una commozione inattesa. A Sara parve più vecchia e fragile.

«Siamo una specie di famiglia, sì. Fammi sapere presto che altro dobbiamo fare, sorella. E incastriamo queste merde, come abbiamo sempre fatto. Aggiornami pure tu, intanto: avete raccolto qualcosa?»

Sara era compiaciuta: Bionda era entrata in azione. Perciò le raccontò di Pardo e delle sue conferme nell'ambito delle poche indagini della polizia, e soprattutto di quello che aveva visto e documentato Viola. Si aspettava una reazione negativa dell'amica insieme a un invito alla prudenza, invece Teresa la sorprese.

«Ottimo lavoro. La mammina di tuo nipote è in gamba. Avessimo ancora agenti sul campo, le farei una proposta. Materiale interessante, in effetti... Ascolta, noi abbiamo il miglior esperto di interpretazione delle conversazioni. Mettiamo sotto intercettazione il telefono di questo Cantore, giacché pare lo usi parecchio. Parlo con

Andrea oggi stesso, riceverà tutte le registrazioni man mano che le otteniamo.»

Sara assentì, poi allungò una mano e la mise su quella dell'amica. Era una deroga importante alle loro forme comportamentali.

«Ti devo chiedere un'altra cosa, Bionda. Stavolta si tratta di un favore personale.»

Teresa si preoccupò:

«Che succede? Il bambino sta di nuovo male?».

«No, non si tratta di Massi. Ricordi la faccenda dei romeni? Gli studenti che volevano organizzare un attentato al papa per vendicarsi della caduta di Ceauşescu? Ricordi che gli americani volevano che ci riuscissero…»

«Per favorire il movimento d'opinione anticomunista all'Est, certo. Una tecnica precisa, sapessi quante volte si è ripetuta negli anni. Ma è acqua passata, no?»

«Sì, è acqua passata. Però c'era Ana Florescu, la dottoressa, quella che avrebbe dovuto fare esplodere l'ordigno e che sparì senza lasciare tracce.»

Teresa fissava Sara, concentrata. Le mani erano rimaste l'una sull'altra.

«Ricordo bene. Pensammo che erano stati gli americani, e ci sorprese anche la sparizione dell'intero gruppo di romeni.»

Sara spiegò accorata, con un tono distante mille miglia dalla solita voce quieta:

«Io… io devo restituire un favore che mi è stato fatto, Bionda. Ho bisogno di sapere cosa successe ad Ana Florescu, se è ancora viva e, nel caso, dove si trova. Pensi di poter fare questo, per me?».

Teresa restò un istante in silenzio.

«Ho la pessima sensazione che finirai per farti del male, Mora. Ma ci posso provare. Dammi tutto quello che hai sulla tizia.»

Sara tirò fuori dalla tasca un foglietto e lo consegnò all'amica.

Poi le diede un'ultima carezza sulla mano, si alzò e andò verso le scale.

XXIV

La dottoressa chiuse con difficoltà il borsone, tirando con attenzione la lampo perché non si rompesse. Aveva imparato che gli oggetti, in quel Paese, non potevano essere riparati e nemmeno ricomprati.

Valeva per il borsone, e forse per questo la gente portava in giro le proprie poche cose in sacchetti di plastica, o addirittura impilandosele sulla testa; e valeva anche per il filo chirurgico, per i bisturi, per i disinfettanti. Il pensiero della dottoressa andò a una donna morta due giorni prima, per una setticemia evitabile nei due terzi del pianeta ma non lì.

Era stanca. Erano passati trent'anni da quando era arrivata in quella terra riarsa, sbattendo le palpebre nella luce accecante, annusando l'aria per capire dove si trovasse, sorpresa di essere ancora viva, devastata dall'abbandono dell'esistenza precedente.

E dal senso di colpa.

Chissà cosa la portava, adesso, a tirare quella lampo. E a prepararsi a partire. Chissà se comportava l'inizio di una terza vita, di nuovo ribaltando tutto, di nuovo cancellando tutto. Ma stavolta per sua volontà.

Non una terza vita, rifletté. Una quarta, a dire la verità. La mente andò alla prima, quella che così spesso cancellava perché era la radice del senso di colpa, il cui peso non le avrebbe consentito di sopravvivere se non si fosse decisa a confinarlo in un ripostiglio del cuore, come una scatola zeppa di fotografie belle eppure dolorose.

L'infanzia in una capitale dell'Est austera ma piena di ottimismo. Una madre sollecita e non invadente, ammirata dovunque; e un padre importante, ai vertici delle istituzioni. Amici rilevanti, considerazione massima in ogni luogo, grandi prospettive per lei e il fratello minore, determinati a essere all'altezza di ciò che i genitori pianificavano per loro.

Passati ormai da un po' i cinquanta, la dottoressa non ricordava spesso quegli anni. Certo, farlo era doloroso; però, giunti alla sua età, tutti guardavano alla fanciullezza come a un gioioso tempo perduto. Magari non le migliaia di bambini della terra in cui si trovava adesso, che giocavano nel fango e nello sterco, che per la fame si contendevano bucce e rifiuti, tra nugoli di insetti e colonie di topi che svolgevano alla perfezione il loro compito di propagatori di infezioni. Ma i suoi coetanei fortunati rammentavano con amore l'epoca in cui andare a scuola era l'unico impegno, e per il resto ci si poteva divertire.

Forse, pensò guardandosi attorno per assicurarsi di non aver dimenticato nulla, era perché la sua prima vita era durata poco. La decisione che lei e il fratello avrebbero studiato in Occidente era stata presa con largo anticipo. Il piano era semplice: acquisire strumenti, divenire esperti nei rami prescelti per poi rientrare e assumere un ruolo primario, come competeva alla famiglia, contribuendo così allo sviluppo del Paese.

Poi le cose erano precipitate. E questo aveva diviso la seconda e la terza vita della dottoressa. Ciò che ancora non riusciva ad accettare era l'avere salutato male i genitori alla fine delle ultime festività trascorse a casa, senza immaginare che non li avrebbe più rivisti.

Avevano avuto una brutta discussione, la madre era scoppiata a piangere. Lei aveva rivelato di non voler abbandonare le ricerche che stava conducendo in Occidente, e questo rendeva assai difficile il suo ritorno.

Aveva avuto tutti contro. Il padre, che le rimproverava l'egoismo verso il proprio Paese. La madre, alla quale era necessaria come l'aria; il fratello, che le imputava di mentire, accusandola di voler restare in quella città dell'Occidente molle e privo di valori a causa del fidanzato, un rinnegato, un senza patria. Altro che ricerca.

Ma lei, presa com'era dai propri progetti, non vedeva l'ora di andarsene. E così non si era accorta di quanto il clima fosse cambiato intorno alla sua famiglia. Non si era accorta delle armi, delle guardie per strada, dell'odore di polvere da sparo. È incredibile, pensò la dottoressa, come i ragazzi siano talmente concentrati su se stessi da non vedere il mondo.

Non aveva dimenticato nulla. E anche questa fu una considerazione triste. Adesso si trovava da trent'anni in un altro luogo. Trent'anni passati a fronteggiare nemici spaventosi: guerra civile, povertà, carestia, fame; trent'anni sotto falso nome; trent'anni di una nuova lingua, e di un mestiere così diverso da quello che aveva sognato; trent'anni di fatica, di lavoro senza turni. E tutto quello che possedeva era contenuto in un borsone da chiudere con cura per non rischiare di rompere la lampo.

Papà, oggi saresti orgoglioso di me, disse fra sé. Saresti orgoglioso del fatto che gli ideali che hanno animato la tua esistenza – l'uguaglianza, la lotta alla povertà e al dolore – hanno animato anche la mia.

Non ti ho visto morire, papà. Non ho visto morire la mamma, chiusa in chissà quale campo, attenta a non farcelo sapere perché non tornassimo. Non so che cosa sia successo a Ion e ai suoi compagni, portati via come me, sopravvissuti o forse no. È questo il mio senso di colpa, papà.

Si avviò all'ingresso della casa spoglia che era stata finora la sua dimora. Il luogo dove riposava il corpo stanco, sopraffatto da battaglie che prevedevano solo sconfitte.

Nessun rimpianto, nessun rimorso. Se ne andava senza essere mai stata lì in realtà. Il senso di precarietà che l'aveva avvinta nelle prime ore era sopravvissuto negli anni, impedendole di piantare radici. Non aveva stretto amicizie, non aveva avuto amori. Aveva confinato il sesso all'assolvimento di un bisogno, a incontri fugaci con colleghi di passaggio.

Gettò uno sguardo di sfuggita allo specchio, forse la suppellettile meno usata dell'appartamento. Vide le tracce di sé, sfiorite forse, ma nemmeno tanto; e si domandò come il suo aspetto potesse essere considerato un valore, durante la seconda vita.

Si fermò per dare un'ultima occhiata attorno. La macchina dell'associazione aspettava all'esterno, il motore acceso nel tentativo di attenuare con l'aria condizionata il calore soffocante. Un folto gruppo di ragazzini curiosi rideva e danzava nella miseria.

C'era un motivo, per il quale la dottoressa cominciava una quarta vita. Un ottimo motivo.

Le venne in mente un viso. Strano che ci avesse pensato così poco in quegli anni; e però non se ne era mai separata davvero, custodendolo come qualcosa di tanto prezioso da non poterci rinunciare.

Chiamò Akili, ad alta voce. Akili, il Luminoso, l'Intelligente, in lingua swahili. E quanto luminoso e quanto intelligente, lo sapeva soltanto lei.

Un bambino dagli immensi occhi neri venne fuori dalla sua stanza, portando orgoglioso il proprio zaino di giocattoli. Sono pronto, mamma. In italiano. Chissà perché, fra tante lingue, quella era stata eletta tra loro.

Il viso che le era venuto in mente. Quello dell'uomo con cui, secoli prima, aveva immaginato di fare un figlio. Che sarebbe stato diverso da Akili, magari con le profonde pupille azzurre di Nico; ma che avrebbe amato tanto, come quel piccolo che era stato orfano e adesso non lo era più.

Andiamo, disse.

E aprì la porta, nel sole.

XXV

Nel corso della sua altalenante carriera, fatta di curve in salita e di qualche comoda discesa, Davide Pardo si era fregiato di un onore che non tutti potevano vantare: non aveva mai pestato i piedi a nessuno.

Non solo: quando ne aveva avuto occasione, e in quella città capitava fin troppo spesso, aveva dato aiuto a chiunque. Non era un atteggiamento studiato, bensì rispondente alla propria natura. Appena tra i poliziotti veniva fuori il suo nome, i commenti, puntuali, erano sempre gli stessi: il buon vecchio Pardo, in gamba ma sfortunato, e sempre e comunque un amico. Se la conquista dei gradi fosse stata elettiva, Davide sarebbe stato almeno vicequestore.

Per questa ragione, aveva innumerevoli crediti da riscuotere e altrettante conoscenze da sfruttare. Sapeva a chi rivolgersi, per scoprire chi fossero i due picchiatori del filmato fatto da quella pazza incosciente di Viola. Non aveva ancora digerito l'assurda imprudenza di lei, ma concordava con Sara: ora che il materiale c'era, tanto valeva utilizzarlo. Così, con la stampa di due fotogrammi, era andato dal Muto.

Il nome vero era Federico Saltutti, ma Pardo era convinto che nemmeno lui se ne ricordasse. Anche nelle riunioni collettive, se chiamato in causa, era quello l'appellativo con il quale lo si citava: il Muto. Chiedi al Muto, telefona al Muto, vedi che dice il Muto.

Ma il Muto, in quanto Muto, parlava pochissimo. Pareva in gara per uno di quei giochi in cui si deve tacere il più possibile. Aveva sviluppato un linguaggio tutto suo privo di congiunzioni, preposizioni, interiezioni, avverbi. Soggetto, predicato, complemento quando necessario e stop. Suppliva con una mimica contenuta, avvalendosi degli sporgenti occhi ipertiroidei e dei segnali Morse lanciati dal prominente pomo d'Adamo.

Il Muto era il decano della squadra antiusura, oltre che memoria storica della stessa. Se qualcuno prestava soldi a strozzo, entro dieci minuti si ritrovava censito nella sua mente con tanto di foto, di fronte e di profilo, anche se non era mai stato fermato nemmeno per una contravvenzione.

Il credito che Pardo si apprestava a riscuotere da lui era maturato una dozzina d'anni prima. C'era stato un convegno nazionale dell'associazione antiracket, e il questore, appena giunto dal Nord, aveva pensato di far tenere la relazione introduttiva al maggior esperto del settore. Quando aveva chiesto chi fosse, l'allora capo del personale, ignorando il motivo della richiesta, aveva fatto il nome di Saltutti senza esitazioni.

Per il Muto erano stati giorni terribili. Esprimersi gli era già complicato in privato, figurarsi davanti a seicento persone. Non avrebbe avuto dubbi se gli avessero fatto scegliere tra quel compito e l'assalto a mani nude a un gruppo di mafiosi armati.

Pardo, all'epoca in affiancamento temporaneo presso la struttura, ne aveva avuto pietà. E gli aveva proposto una soluzione. Fingendo di operare sotto copertura, il Muto avrebbe dovuto richiedere di intervenire in video, a viso coperto da un cappuccio e con la voce camuffata. Così mascherato, Pardo si sarebbe assunto il compito di sostituirlo, registrando il filmato al suo posto.

L'associazione aveva accettato di buon grado, perché l'agente sotto copertura faceva molto Capitano Ultimo e NCIS. Pardo si era divertito un mondo a riesumare i trascorsi teatrali giovanili. Il Muto aveva taciuto, è ovvio. Ma gli occhioni sporgenti avevano detto: se mai avrai bisogno, io ci sarò.

Presero appuntamento in un bar della zona bene, quella in cui era facile trovare, pronto a mettersi all'opera, un qualunque usuraio già schedato dal Muto, che quindi nel vederlo sarebbe fuggito a gambe levate. Pardo gli porse le fotografie, salmodiando le informazioni necessarie: nome del negozio, nome del gestore, data e ora del pestaggio, probabile situazione, periodo di difficoltà risultante dai bilanci. Il Muto lo ascoltò spostando gli occhi da lui alle foto, simili a due palle da biliardo in ipnotico ondeggiamento, poi fissò l'ispettore con aria interrogativa. Pardo sospirò e mosse la mano con noncuranza:

«No, sai, Muto, 'sto Cantore ha proposto a una mia conoscente di entrare in società. Lei però ha avuto dei dubbi, cioè, sarebbe anche interessata, il negozio è in una bella posizione, ma non si fida e ha messo uno a indagare, non mi ha voluto dire chi. E sono venute fuori queste foto. Non è un'indagine ufficiale, insomma. Perciò ti ho chiamato. In virtù dei vecchi tempi, giusto?»

Nel fare riferimento ai vecchi tempi, Pardo si era esibito nel gesto di calarsi un cappuccio sulla testa. Incomprensibile per chiunque, esiziale per il Muto. Il quale annuì, prese lo smartphone per fare due scatti dei fotogrammi e li inviò a chissà chi. Poi bevve il caffè, controllò l'ora e fece una telefonata.

Pardo si mosse per alzarsi, per rispetto della privacy dell'amico, il quale lo bloccò con una smorfia lasciando intendere che non era necessario. Poi, alle 13:05, il Muto pronunciò al cellulare la prima parola dal giorno precedente:

«Ciao».

Non disse altro. Ascoltò, con cenni di assenso del capo quasi dall'altra parte lo vedessero. Pardo pensò che se quello era il Muto, l'interlocutore doveva essere il Logorroico, perché parlò ininterrotto per quasi cinque minuti. Alla fine il Muto raddoppiò la dotazione verbale:

«Grazie».

Restò in silenzio, picchiettando il pollice sulle foto come seguendo un ritmo pescato dalla memoria. Conoscendo il pollo, Pardo attese paziente. Alla fine il Muto tirò il fiato, aprì la bocca e la richiuse. Poi la riaprì e la chiuse ancora. Pardo, che assomigliava sempre più a una pentola a pressione dalla valvola mal funzionante, disse:

«Muto, sembri un merluzzo. Sono Pardo, ricordi? Con me puoi parlare. Dai. Fatti coraggio».

E il Muto si lanciò:

«Brutta situazione. Duecentocinquanta, adesso uno e tre. Scaduto un mese, assegno protestato».

Nel gergo del Muto, era la descrizione del debito di Cantore per capitale iniziale, interessi maturati e obbligazione a garanzia non andata a buon fine. Il dato rilevante era il commento «Brutta situazione», peraltro messo a inizio frase.

«Perché dici che è brutta, Muto? È brutta sempre, no? Voglio dire, se non puoi restituire i soldi...»

Il Muto scosse il capo con vigore, una volta. Equivaleva a un no detto ad alta voce. Poi specificò:

«Grosso slavo, fesso. Biondo pericoloso, si muove se necessario. Operazione pool, quattro grandi».

Pardo tradusse che il biondino aveva sulla coscienza un certo numero di sparizioni dei debitori. E che gli strozzini coinvolti erano in quattro di quelli potenti. Il che moltiplicava il problema, perché a lasciargliela passare si perdeva la faccia. Nessuno più avrebbe pagato.

Il Muto continuò, rosso per lo sforzo:

«Tempo contato, strano arrivato finora. Tua amica, meglio scappa se non trova almeno cento».

«Quanto tempo avrebbe, per trovare questi soldi?».

Il Muto si strinse nelle spalle e agitò incerto il pomo. Poi sentenziò:

«Tempo si compra. Costa. Un giorno, due... Altrimenti...».

E una mano salì inequivocabile in corrispondenza del loquace pomo d'Adamo, tagliando l'aria in orizzontale.

Pardo non ebbe bisogno di tradurre.

XXVI

Andrea ascoltava e sentiva montare un'euforia quasi sconosciuta, tanto era il tempo trascorso dall'ultima volta che l'aveva provata.

Non era cosa da poco, essere ancora operativo. E soprattutto aver scoperto che le sue facoltà erano non solo intatte, ma addirittura accresciute. L'esercizio costante, l'innalzamento dei limiti, la capacità di concentrazione ai quali aveva tanto lavorato lo avevano condotto a interpretazioni uditive di gran lunga superiori rispetto a quando era in servizio.

A ciò si aggiungeva l'orgoglio di poter dimostrare a Teresa, e attraverso di lei al mondo che l'aveva collocato troppo presto a riposo, che possedeva una peculiarità assai difficile da reperire sul mercato.

La telefonata di Bionda, due giorni prima, era stata sorprendente. Le incertezze e la diffidenza che lei aveva manifestato in occasione dell'incontro al bar della stazione di servizio erano sparite, lasciando il posto a una determinazione del tutto nuova.

Gli aveva parlato per sottintesi, confidando nella capacità di Andrea di comprendere al volo il non detto.

Mascherando il vero argomento della chiamata dietro l'organizzazione di una gita tra amici, gli aveva lasciato capire che aveva recuperato le intercettazioni più recenti delle telefonate di Cesare Cantore, il marito di Biancaneve, e che poteva mandargliele per mail.

Ricorrendo a propria volta a metafore e sottintesi, le risposte criptate di Andrea avevano sostenuto che conveniva avvalersi di un cloud piuttosto che della posta elettronica, più facile da tracciare.

Bionda aveva fatto intendere che avrebbe provveduto subito in tal senso per il pregresso, e che in futuro gli avrebbe inviato ogni sera l'audio delle conversazioni dell'uomo.

Erano in pista, insomma. Si faceva sul serio.

E ora Andrea, le fide cuffie alle orecchie, si era collocato nello studio buio per fare conoscenza con il commerciante, deciso a dedicarsi dapprima all'analisi di toni, sfumature, cadute e acuti della voce di Cesare Cantone. Ne veniva fuori un narcisista piuttosto superficiale dal carattere emotivo, instabile, tutt'altro che capace di fronteggiare la situazione.

Passò poi a esaminare gli interlocutori. Perlopiù fornitori e creditori che sollecitavano pagamenti, ma le loro richieste non rivelavano particolari criticità. Poi rappresentanti di merci che chiedevano appuntamenti puntualmente rifiutati; e ancora, un antico compagno di scuola che era stato liquidato in pochi secondi.

Di tutt'altro tenore le telefonate degli strozzini, provenienti da un'utenza anonima. Erano tre: il primo parlava quasi in falsetto; il secondo aveva una voce rauca, graffiata; il terzo si esprimeva con un tono lugubre e basso, pennellato da un accento lieve che Andrea identificò come slavo.

Il livello delle minacce era giunto al massimo. Nel periodo di Tangentopoli, quando si erano moltiplicate le aziende in difficoltà per l'interruzione brusca delle concessione di appalti, ad Andrea era capitato spesso di analizzare l'escalation nei rapporti degli usurai con gli imprenditori. Gli strozzini partivano con la concessione di salatissime proroghe; proseguivamo ostentando deciso fastidio; passavano a raffigurazioni di scenari foschi; infine, promettevano il peggio.

Nel caso di Cantore si era arrivati ancora oltre, come i fatti stavano dimostrando. I tre interlocutori parlavano di vita o di morte, senza girarci intorno. Dovevano aver compreso che la cifra che pretendevano non l'avrebbero mai intascata, ma a ogni costo dovevano rientrare del capitale.

Era stato il Rauco a preavvisare Cantore della visita. E il Falsetto aveva chiamato subito dopo, per accertarsi che il messaggio fosse stato recepito. Lo Slavo, in ultimo, aveva chiarito al commerciante che la volta successiva l'avrebbero fatto sparire senza lasciare tracce.

Andrea si concentrò sugli argomenti che il piangente e supplicante Cantore opponeva agli usurai. L'unico suo intento era prendere tempo. E infatti, questo faceva: chiedeva tempo. A Catapano sembrò significativo: voleva dire che l'uomo aveva una soluzione, oppure pensava di averla; altrimenti avrebbe organizzato una fuga, o avrebbe denunciato il reato, o qualsiasi altra cosa immaginasse di fare uno nella sua condizione. È questione di poco, diceva. Ho già risolto. Un paio di giorni, tre al massimo, e avrò il denaro da darvi.

L'intercettazione che fece alzare il livello di interesse fu inviata ad Andrea la sera. La chiamata era in entrata, da parte dell'uomo in falsetto: faceva pressione sul commerciante fingendosi terrorizzato dalla ferocia degli altri, lui che gli era amico. Un'evidente pantomima finalizzata a mettergli ancora più paura, ma Cantore sembrava crederci. A un certo punto, Falsetto cercò di strappargli qualcosa sulla soluzione che il commerciante aveva individuato, ammesso che fosse vero. E Cantore disse che aspettava il ritorno di una persona.

Il ritorno. Se Andrea fosse stato un cane da caccia, gli si sarebbero drizzate le orecchie.

Quale persona?, disse il Falsetto.

Una persona che porterà il denaro che mi serve, rispose Cantore.

E tu credi che uno sano di mente ti darebbe tutti quei soldi? E perché dovrebbe farlo?, lo stuzzicò l'altro.

Lo farà, lo farà. Perché io sono l'unica cosa importante della sua vita. Fidati, lo rassicurò Cantore.

La moglie, pensò Andrea. In pratica gli ha detto che sta aspettando il ritorno della moglie. Quindi mente. Ma come pensa di cavarsela?

Un quarto d'ora dopo la fine della telefonata, si udì la composizione lenta e incerta di un numero. Dalla frequenza della pressione sui tasti, Andrea capì che Cantore stava leggendo e digitando. Il raffinatissimo udito distinse le tonalità e comprese che si trattava di un'utenza portatile estera, il che non voleva dire niente se non una maggiore difficoltà nel risalire all'intestatario.

Chi si collegò però non rispose. Non disse nulla. Si sentiva un lieve rumore di fondo, forse elettricità statica.

Pronto? Sono io, Cesare. Il marito di...

Sì, disse qualcuno all'altro capo.

A quel monosillabo, il cuore di Andrea saltò un battito. E Catapano si ritrovò con la mente nel suo antico ufficio immerso nella penombra, le pareti rivestite di pannelli in spugna nera a cunei, piegato in avanti per la concentrazione.

Io... io non riesco a mettermi in contatto con lei, il telefono sembra staccato. Lo so che non devo usare questo..., disse Cantore.

Infatti. Mai, lo interruppe rapido l'altro.

Andrea fece un ghigno di trionfo, di fronte alla conferma di ciò che aveva capito.

Io non ho più tempo, maledizione. Non ho più tempo, capisce? Lei mi aveva assicurato che..., provò a impietosirlo Cantore, la voce spezzata.

Vediamoci e parliamone. Il posto lo sa, no?, tagliò corto l'interlocutore.

Sì, mia... me lo ha detto, sì. Dove avrei dovuto venirla a prendere, no?, disse svelto Cantore.

Domani sera, intimò l'altro.

E chiuse la comunicazione.

Andrea disse nel buio: bentornato, Bombardiere.

XXVII

Se la sede dell'incontro era la solita, la presenza di un nuovo elemento la rendeva assai diversa.

Il salotto di Viola era sempre uguale: coperta e cuscini in disordine sul divano, tappeto di lana sul quale Boris si lasciava sprimacciare dal piccolo Massimiliano, televisore sintonizzato sul canale dei cartoni, odore di latte e biscotti, bottiglia di rosso stappata per accompagnare la pizza con ricotta e friarielli, gentile omaggio della vicina.

Ma stavolta c'era un occupante di sedia in più. E sembrava godersi un mondo quella sorta di debutto in società. Andrea se ne stava in disparte, la testa piegata su un lato, le lenti scure e il bastone tra le mani, in mezzo alle ginocchia. Viola lo fissava con curiosità, Pardo con aperta diffidenza.

Sara disse:

«Vi ho già parlato di Andrea Catapano, mio caro amico e collega. Vi ho detto delle sue capacità, e vi garantisco che è persona affidabile. Ho voluto che fosse con noi, oggi, perché secondo me siamo a una svolta nella ricerca che stiamo conducendo, e…».

Pardo la interruppe, brusco:

«Con grande rispetto per il signore, qui, io svolgo un lavoro particolare e devo essere certo che quello che facciamo resti riservato. E se posso essere sincero, non vedo di quali altre capacità abbiamo bisogno».

«Ti assicuro, Davide, che nessuno di noi ha le peculiarità che possiede Andrea. Ti ricordo che è stato lui a riconoscere la voce di Biancaneve nell'intervista televisiva, e non era che un mormorio di fondo.»

Viola ritenne di dover intervenire:

«Ma certo, Sara. Se ti fidi tu, ci fidiamo noi. Riconoscere una voce può essere questione di abilità, di memoria, magari di fortuna. L'importante è che tu sia convinta, no?».

Andrea disse, dal nulla:

«Starei attento al bambino. Da quella mensola può cadere e farsi male».

Gli occhi di tutti si rivolsero verso Massimiliano, impegnato in una scalata della libreria che lo aveva portato già al terzo ripiano. Pardo si gettò a prenderlo, ma Boris lo intese come un tentativo di attacco e si alzò dal tappeto, ringhiando.

Andrea aggiunse, serio:

«Ispettore, starei attento pure a non fare gesti bruschi. È un Bovaro del Bernese, vero? È una razza che si sceglie un capofamiglia, che nel vostro caso è il bambino, è evidente. Lo poggi piano a terra con un sorriso e il cane non le mozzerà una mano».

Riuscendo nell'impresa di fissare malevolo il cieco e sorridere a Boris, Pardo depose lo scalatore sul tappeto.

L'animale si accucciò di nuovo, ma lo sguardo diceva: stai attento, Pardo. Stai molto attento.

Sara spalancò le braccia. Poi passò al dunque, chiedendo a ciascuno di illustrare quanto scoperto. Lei stessa riferì cosa le aveva raccontato Teresa; Pardo quello che aveva appreso dal Muto in merito all'usura di cui era vittima Cantore; e Andrea condivise ciò che aveva dedotto dalle intercettazioni.

Viola disse:

«Ammesso che Cantore abbia chiamato davvero il Bombardiere, e a questo punto sono propensa a crederlo, possiamo ipotizzare che speri di ottenere dei soldi da lui. Altrimenti, perché affannarsi a incontrarlo?».

Sara confermò:

«Non c'è dubbio. Ma per quale motivo Miccio dovrebbe dare dei soldi a Cantore? E soprattutto, come mai hanno stabilito con certezza di vedersi? In fondo non si conoscono; a quanto ha detto Andrea, si sono parlati per la prima volta durante quella telefonata».

Il cieco annuì:

«Sì, erano al corrente l'uno dell'esistenza dell'altro, ma non si erano mai sentiti. E Cantore non avrebbe mai dovuto ricorrere a quel numero, il Bombardiere era raggelato».

Addentando pensoso il terzo pezzo di pizza consecutivo, Pardo disse:

«Ma soprattutto: perché Cantore, sia con gli strozzini sia con Miccio, si comporta come se la moglie fosse ancora viva? Non si rende conto che la bugia non può reggere a lungo?».

Sara disse la sua, osservando il liquido rosso nel calice:

«A meno che ancora non sappia che la sua signora non c'è più».

L'ispettore restò col boccone a metà.

«Come sarebbe? Uno ha la moglie che esce di casa e non ritorna, e non si domanda cosa le sia successo?»

Andrea provò a seguire l'ipotesi della collega:

«Mettiamo che Biancaneve abbia detto al marito: dai, il problema te lo risolvo io...».

Sara proseguì la frase con l'identico tono, quasi raccontasse una favola a Massimiliano:

«Ma non devi chiedermi come né perché».

«E per farlo devo partire. Non posso dirti per andare dove.»

«Però torno presto, diciamo fra un giorno, al massimo due.»

«E quando torno, dovrai venire a prendermi in questo posto preciso.»

«Sì, ma dove ti rintraccio? C'è qualcuno che devi incontrare?»

«Ti lascio un numero, marito mio. Ma lo puoi usare solo in caso di emergenza. Siamo d'accordo?»

Sara, nel ruolo di Cantore, replicò:

«Dimmi almeno di chi è questo numero».

Andrea si strinse nelle spalle:

«Del mio vecchio datore di lavoro, Dante Miccio. Vado a fare una commissione per suo conto. E quindi...».

«E quindi è da Miccio che devo avere i soldi. Sia se la commissione che devo fare è per lui...»

Andrea completò la frase, duro:

«Sia se è *contro* di lui».

Il silenzio che seguì era interrotto da un'incomprensibile storia che Massi stava raccontando a Boris. Anche Viola e Pardo se ne stavano muti, dopo aver assistito affascinati al dialogo ricostruito da Sara e Andrea come fosse una partita di tennis.

Poi Viola disse, d'un soffio:

«Sappiamo che si vedranno, d'accordo. Ma dove?».

Pardo scosse il testone:

«C'è qualcos'altro che non mi quadra. Il Muto ha parlato di un'operazione fra quattro usurai, giusto? Una specie di intervento in società, data la rilevanza dell'importo. Invece gli strozzini intercettati al telefono...».

Andrea gli si rivolse ammirato:

«Erano tre, ispettore. Esatto! Ottima osservazione. Quindi, il quarto...».

Fu Viola a trarre la conclusione:

«Potrebbe essere il Bombardiere, dite? Lo stesso Miccio? E perché lo avrebbe fatto?».

Sara teneva gli occhi sul calice, come se da lì potesse arrivare la soluzione:

«Per attirarlo in una trappola, forse. O per avere in mano un'arma di ricatto potente. E se è così, è perché Biancaneve lo teneva in pugno. Altrimenti, perché pagarla tanto ogni mese?».

Andrea disse, lugubre:

«Se abbiamo ragione, il nostro povero Cantore corre un rischio molto più grande di quello che pensa di correre».

Viola domandò:

«Ma non possiamo provare a sapere da Cantore dove deve incontrare Miccio? Magari avvertendolo del pericolo?».

Sara non era d'accordo:

«No, non ci crederebbe mai. O commetterebbe qualche sciocchezza, è un uomo disperato».

Andrea ebbe un'intuizione:

«Io forse so dove si danno appuntamento quelli che devono parlare col Bombardiere. Il suo ufficio esterno, insomma».

Viola lo fissò, eccitata:

«Davvero? E come lo sai, se posso chiedere?».

Il cieco si picchiettò l'orecchio:

«Giovane signora, non è che io senta meglio degli altri: è che presto attenzione più degli altri. Nella registrazione dell'ultima telefonata c'era un suono che sembrava di elettricità statica, ma si udiva a tratti. Siccome a essere intercettato era il telefono di Cantore, doveva trattarsi di un rumore di fondo dell'interlocutore, cioè di Miccio».

Pardo spalancò la bocca:

«Aspetta, aspetta… Un rumore ritmico, che sembra elettricità statica. E la vostra amica, Teresa…»

Sara assentì. Le piaceva quell'interazione tra i suoi amici.

«Teresa ha parlato di fotografie satellitari che riprendevano gli incontri di Miccio con industriali e politici. Vicino al mare.»

Andrea assunse un'espressione grave:

«È un maniaco. Lo era allora, lo è adesso. Ha una paura patologica dei tracciamenti e delle intromissioni nei suoi traffici, ma non riesce a smettere di pensare in grande. E più ramifica la sua presenza e alza il tiro...».

Viola finì per lui:

«Più sta attento a nascondersi. Nel posto perfetto, quello in cui si vede subito se qualcuno si avvicina e dove un rumore fisso di fondo copre le parole da intercettare...».

Pardo batté una mano contro l'altra:

«Quel posto perfetto è appunto vicino al mare. E se esistono le fotografie, esiste anche una geolocalizzazione, no?».

Sara commentò:

«Sì. E possiamo ottenerla. Non ci possiamo avvicinare, però».

Viola rise:

«Noi forse no. Ma il mio nuovo teleobiettivo sì. Serve solo che il mare sia calmo».

XXVIII

Stavolta fu lei a cercarlo.

Non fu difficile, aveva il suo numero dai tempi dell'operazione di Massimiliano; ma non fu nemmeno facile, perché quell'uomo le generava sentimenti contrastanti.

Aveva chiesto a Teresa di scoprire dove fosse Ana Florescu, cosa le fosse accaduto. Soprattutto se era viva, da qualche parte nel mondo così cambiato in quei trent'anni. Sara non credeva fosse morta; non era quello il modo di agire degli americani, all'epoca. Era considerato uno sforzo inutile, e anche pericoloso, lasciare scie di sangue che avrebbero potuto condurre a loro. Diversamente, semmai, agivano quelli dell'altra parte, in possesso di vasti territori da cui far inghiottire chi doveva sparire nelle tenebre.

Per questo Sara riteneva che Ana, il fratello e gli altri ragazzi coinvolti nell'assurda impresa dell'attentato al pontefice fossero sopravvissuti. E che si fossero integrati in altri universi, senza dover sotterrare principî e competenze. Di certo Ana, per esempio, era ancora una medica: per l'idea che Sara se n'era fatta durante le settimane di sorveglianza, non avrebbe rinunciato a esserlo.

Non era detto che Teresa riuscisse a farle avere notizie, ma quel tentativo lo doveva a Nico. Nella loro ultima conversazione, lui aveva dimostrato di non avere più alcun risentimento nei suoi confronti: era subentrata la consapevolezza oggettiva di quanto era successo. E quello che Nico aveva fatto per il bambino era così enorme da essere incommensurabile.

Eppure, quando si era trovata davanti a Bionda, qualcosa l'aveva fatta esitare. Qualcosa di nebbioso, di indistinto. E di molto egoista.

E poi c'era un particolare che doveva conoscere. E che solo lui poteva rivelarle.

Gli aveva mandato un messaggio, non avrebbe saputo dirgli nulla senza vederlo in volto. Un luogo, un'ora. Una cena, dopo trent'anni; dopo averlo visto mangiare da lontano, averne studiato mosse, espressioni, risate, e l'intesa complice con quella bella ragazza romena il cui fantasma aleggiava su entrambi.

Prepararsi, dopo la conferma di lui, era stato complicato. Non era fatta per venir meno a se stessa, Sara: ma adesso sentiva la mancanza della sicurezza di Teresa, fatta di vestiti alla moda, tacchi e trucco maliardo. Forse, e lo capiva soltanto ora, quella mascherata serviva a chi la usava, non a chi guardava. Forse la sincerità è sopravvalutata.

Pantaloni, camicia, giacca, scarpe comode. I capelli grigi raccolti in una crocchia. Quella era Mora, e non era più tempo di cambiamenti.

Nico l'aspettava all'esterno del locale, e si accorse di lei prima ancora di vederla. Alzò gli occhi da terra, come rispondendo a un richiamo, e si girò appena Sara svoltò l'angolo. La sua capacità di individuarla aveva del soprannaturale.

Lei si aspettava che le chiedesse subito se c'erano novità. Si aspettava che l'interrogasse nel modo concitato e sofferente che gli aveva letto addosso fin da quando si erano rivisti. Si aspettava che il nome di Ana fosse la prima parola, la prima domanda posta già fuori del ristorantino discreto dove si erano dati appuntamento.

Invece la salutò con un'espressione sghemba ma dolce. Le aprì la porta e le scostò la sedia, come un vero gentiluomo. Le fece persino un complimento: stai benissimo, grazie, anche tu.

Ordinarono. Chiacchierarono a fatica, più per la loro scarsa loquacità che per la singolarità della situazione. Nico domandò a Sara del bambino. Non dal punto di vista della salute, sulla quale non aveva dubbi. Al contrario, le chiese se assomigliava al padre o alla madre, come giocava, quali cartoni animati guardava. Da chirurgo pediatrico si riteneva abbastanza preparato sull'argomento, e citò nomi di personaggi e intrecci di storie che fecero ridere Sara.

Chissà da quanto Sara non rideva. Sorrisi sì, ne aveva fatti tanti, grazie al piccolo Massi ma anche a Teresa e ad Andrea, e a Viola e a Pardo e perfino a Boris. Ma il suono della propria risata la sorprese, e coinvolse Nico al punto di attirare gli sguardi dei pochi avventori.

Concluso il pasto, Sara sentì di dovergli parlare chiaro.

«Come ti ho detto, non lavoro più da anni. La malattia di Massimiliano prevedeva una presenza assidua da parte mia, quindi ho chiuso prima del tempo. Ma mi sono rimaste delle amicizie e qualche credito. Ho incontrato una persona, che utilizzando i suoi canali potrà darmi delle risposte su quello che mi hai chiesto.»

Fece una pausa. Nico la fissava inespressivo, le mani sul tavolo. Sara cercò indicazioni nel corpo di lui: tensione muscolare, fremiti, accelerazione del respiro. Niente.

«Però, e ti chiedo scusa per questo, io ho un'esigenza. Ho preferito parlartene in un contesto diverso, meno fugace dei nostri altri incontri. Ho bisogno di capire perché vuoi ritrovare Ana. Dopo trent'anni, cosa ti aspetti? Cosa vuoi da lei?»

«Non è difficile, Sara. Io sono ancora nella platea di quel teatro, a guardare verso l'alto nella speranza di incrociare i suoi occhi. Voglio solo uscire di là.»

«Sì, certo, comprendo benissimo… Ma io ti ho fatto un'altra domanda. E cioè, cosa vuoi da lei. Sono passati trent'anni, te ne rendi conto? Anche tu hai vissuto. Hai salvato vite, qualcuna l'hai persa; sei diventato una leggenda. Ma Ana? Pensi sia giusto irrompere dal passato nella sua vita attuale, magari spazzando via quello che a fatica e chissà dove ha rimesso insieme?»

«Perché mi dici questo, Sara? Dovrei pormi il problema di non sgualcire le pieghe dell'esistenza che mi è stata tolta? E tu? Come hai risolto tutto quello che hai fatto, a me, ad Ana e chissà a quanti altri dopo di noi?»

Sara gli rivolse uno sguardo triste:

«Io ho sempre agito secondo ciò in cui credevo, Nico. Proprio come te. Ma pensa se, invece del bisturi, avessi a disposizione un coltello da macellaio. Se dovessi operare senza la luce sul tavolo, senza riscontri ecografici o radiografici, obbligato comunque a intervenire. Che faresti? Che avresti fatto?».

Nico tacque.

Sara continuò:

«Voglio solo che ci pensi. Io farò in modo, se è ancora viva, che tu sappia dov'è. Ma prima di avvicinarla, ti prego di riflettere su quello che potrà accadere. Lo dico per lei, da donna; ma lo dico anche per te».

«Perché?»

«Perché non sopporterei l'idea di averti rovinato la vita, o di averla rovinata ad Ana. Di nuovo.»

Andarono via in silenzio; camminarono l'una di fianco all'altro, in una pioggerella che sapeva di Nord e di distanza. A Sara dispiaceva aver perso il clima di complicità creatosi durante la cena, ma aveva detto quello che andava detto.

Quando furono davanti al portone, Sara disse:

«Non la puoi prendere da Ana, la forza che ti serve. La devi trovare da solo».

Lui la scrutò. Poi allungò una mano e gliela poggiò sulla guancia. Si avvicinò e la baciò, piano. Al tocco di quelle labbra calde Sara ebbe una vertigine, e non riuscì a ritrarsi.

Poi Nico andò via, come un fantasma nella pioggia.

E Sara non sapeva come avrebbe fatto a prendere sonno.

XXIX

Puntuale come una cambiale, Sara si svegliò. Gettò un'occhiata ai numeri rossi della sveglia digitale, che segnavano impietosi le 3:05.

Era già la terza notte che accadeva. A lei, che aveva sempre dormito come un sasso, anche prima degli esami universitari più impegnativi, anche quando sua madre sembrava doversene andare da un momento all'altro.

Anche quando la mattina dopo si sarebbe sposata.

Cercò l'evento scatenante dell'insonnia, e lasciò che nel cervello assonnato si ricostruisse l'orribile labirinto di pensieri che la conduceva al punto di partenza.

Al colloquio assurdo che aveva avuto con Tamburi erano seguiti quattro incontri, tutti casuali o di gruppo. Dalla sua posizione defilata, Sara aveva potuto osservare l'atteggiamento dell'uomo, ed era certa che fosse cambiato. Aveva perso sicurezza, equilibrio. Era teso, agitato, spesso distratto. Lo evinceva dai movimenti delle mani e delle gambe, da come si ravviava i capelli ribelli, inforcava gli occhiali, giocherellava con la penna. Aveva delineato un profilo perfetto di Massimiliano, e ogni variazione le esplodeva davanti come un fuoco d'artificio.

C'erano stati molti frangenti in cui Sara aveva rilevato l'agitazione del capo. In corrispondenza della conclusione di un'indagine, per esempio. O quando battagliava con qualche struttura di Roma. O ancora, quando qualcuno di loro faceva di testa sua, com'era capitato col caso dei romeni. Tamburi non si sforzava di nascondere il proprio stato emotivo, anzi, era un mezzo per far comprendere meglio la situazione.

Adesso, però, la sua inquietudine traspariva nonostante le difese, come un liquido che colava dalle fessure di una corazza. Ed era evidente che la causa fosse lei.

In un primo momento Sara non aveva voluto crederci. Poi aveva rilevato il continuo trattenere lo sguardo, l'evitare di incontrare i suoi occhi, soprattutto il rossore se si incrociavano nel corridoio. Per fortuna, nessuno sembrava rendersi conto di niente. Giusto Catapano, dietro le lenti scure, ogni tanto rivolgeva lo sguardo cieco verso entrambi, come percependo una corrente elettrica ignota a chiunque.

Tamburi lottava contro i propri principî, le era chiaro. Una donna tanto più giovane, sposata e con un figlio piccolo, una collega, una sottoposta. C'erano ottime ragioni perché questo imprevisto non divenisse nemmeno un sogno di primavera. Ma quando Sara, uscendo dall'ufficio di lui, aveva pronunciato quella frase sui sentimenti, qualcosa era cambiato. E non sarebbe più tornato come prima.

Era quello a tenere sveglia Sara, la notte. Era giovane, d'accordo, ma equilibrata. Non era un tipo da colpi di testa o da mosse avventate. Non si sarebbe mai buttata a capofitto in una storia, sempre ammesso che Massimiliano, vincendo le innumerevoli remore, la sollecitasse in tal senso.

E quindi? Se tutto va come deve andare, se ogni cosa è sotto controllo, se non corri rischi, allora perché non prendi sonno?

Le rare auto che passavano in strada proiettavano nella stanza brandelli di luce. Il respiro pesante di Carlo era regolare. *Lui dorme*, pensò. *Non si è accorto di nulla.*

Perché doveva riconoscere che anche lei non era la solita Sara. Distratta, svagata, bisognava ripeterle le cose più volte. Quella mattina per poco non aveva calzato due scarpe diverse. Il marito e il figlio non se ne curavano. Ma lei era consapevole di avere la testa da un'altra parte.

Il cuore hai da un'altra parte, si disse nel buio, seguendo i riverberi dei fari sul soffitto. *Prova ad ammetterlo, a essere sincera*. Ma era la sincerità, il problema di Sara. La maledetta, sopravvalutata sincerità. L'abitudine a scoprire la verità desumendo dal linguaggio del corpo le vere emozioni, quelle nascoste dalle parole, non poteva che essere il riflesso di una caratteriale avversione per la menzogna. Per cui adesso, mentendo a se stessa, stava compiendo un atto per lei contronatura.

Quella sera, dopo averlo rifiutato per una settimana, era stata costretta a cedere al desiderio del marito. Aveva finito le scuse. Aveva provato a limitare la durata dell'amplesso, e c'era anche riuscita. Ma ne aveva riportato un profondo disgusto. Le sembrava un crimine, nei confronti di Carlo e anche del figlio, una fuga emotiva dalla famiglia.

Nella notte che si infittiva, aveva avvertito un grave senso di colpa anche nei confronti di Tamburi. Era assurdo, difficile da spiegarsi, ma era così. E la risposta poteva essere solo una.

Mi sono innamorata di lui.

Per poco quella consapevolezza non la fece balzare a sedere.

Mi sono innamorata di lui.

Non aveva senso, ed era la cosa più sensata del mondo. Era lì, a letto col padre di suo figlio, colui col quale aveva condiviso infiniti progetti. Era a letto con l'uomo con cui aveva appena fatto l'amore, con cui aveva pensato che sarebbe invecchiata. Eppure si rese conto che le era sconosciuto, estraneo, lontano come un amante occasionale raccolto per strada.

Certo, gli voleva bene. Fargli del male le pesava. Non poteva pensare al risentimento, alle sanzioni sociali, a quello che sarebbe successo.

Ma adesso che lo sapeva, come avrebbe fatto a dormire ancora in quel letto? Magari con Massimiliano non sarebbe mai successo niente, perché lui non avrebbe superato gli ostacoli che la sua mentalità gli opponeva e non si sarebbe mai più trovato da solo con Sara. Oppure lei non avrebbe avuto la forza di fargli capire cosa provava.

Era però sicura di una cosa: non poteva restare lì. Nemmeno un giorno.

Carlo era un uomo dalle reazioni decise. Aveva una forte autostima e si sarebbe sentito offeso, mortificato. Più che la sofferenza, avrebbe prevalso l'oltraggio subìto. L'avrebbe attaccata, avrebbe detto di lei il peggio. Lamentava già, tra il serio e lo scherzoso, che era una madre scadente; e aveva con Giorgio un legame inscalfibile.

A Sara fu chiaro che Carlo le avrebbe reso la vita difficile; e che con ogni probabilità avrebbe alzato un muro attorno a Giorgio, così da renderle più drammatica la scelta.

Ma lei non era capace di fingere. Ora che sapeva, doveva andarsene. Avrebbe chiesto ospitalità a Teresa, poi si sarebbe visto. Non avrebbe detto nulla a Tamburi, non voleva metterlo spalle al muro. Ma doveva andarsene.

Si alzò senza far rumore. E andò a prendere una valigia.

XXX

Il panorama era bellissimo.

Il vento di terra, divenuto gelido e tagliente, faceva sì che il mare fosse calmo, giusto qualche increspatura quando il soffio era più forte. I colori parevano finti: si andava dall'indaco all'azzurro, passando dal grigio all'ambra. Non sembrava esserci soluzione di continuità tra cielo e acqua, l'orizzonte era un'astrazione.

La sagoma incombente dell'isola pareva più una protezione che una minaccia. Si potevano contare gli alberi che crescevano spontanei in bilico sulle rocce, oltre che le rade costruzioni del carcere minorile. Più in là il pontile era deserto, per l'ora e per il clima, a parte un paio di persone che corricchiavano in tuta provando a smaltire eccessi.

La superficie dell'acqua era punteggiata di qualche imbarcazione. Uno yacht alla fonda, una canoa, un paio di barche da pesca, un traghetto più lontano, una petroliera al largo. Si sarebbe detto che l'amore per il mare fosse un sentimento così forte da far sfidare il freddo di novembre, e che il mare stesso ricambiasse con un tenero e azzurro abbraccio.

«Io il mare l'ho sempre schifato» disse il pescatore a bordo della barchetta meno lontana dal litorale.

Giaccone pesante con bavero rialzato, guanti, sciarpa di lana, passamontagna: reggeva una canna da pesca che gli tremava in mano, e non si sentiva più né le gambe né soprattutto i piedi.

«Dovranno rimuovermi con un flex. Ho il culo che è diventato un tutt'uno con questa cazzo di barca.»

I mugugni erano rivolti a una coperta stesa sul fondo della barca, dalla quale usciva soltanto l'occhio di un teleobiettivo.

La coperta disse:

«La pianti di lamentarti? Siamo qui solo da un'ora e dovremo starci tutto il giorno. Che poliziotto sei, si può sapere? Devo insegnarti io cos'è un appostamento?».

Il pescatore grugnì e disse, la voce attutita da quattro strati di tessuto:

«Uno manco si può lamentare. Deve soffrire in silenzio. Se muoio di freddo, irrigidito come sono, non te ne accorgi nemmeno: meglio che parlo, no?».

Dalla coperta giunse il suono di un cicalino digitale.

«Ecco, sono connessa. Da questo momento Sara e Andrea vedono al computer tutto quello che inquadro. Il posto l'ho messo a fuoco bene, non resta che aspettare.»

La montagna di lana grugnì:

«Primo, Andrea non vede una mazza, e tutto questo inutile ambaradan è fatto nella speranza che le arti magiche della fattucchiera ci facciano capire qualcosa che comunque andrà verificato. Stai sicura che perdevamo meno tempo e ci risparmiavamo un ciclo di antibiotici se invece di fare James Bond 15 prendevamo il tizio e ci parlavamo».

Viola, da sottocoperta, sbuffò:

«Certo, così avevamo la parola di uno strozzato contro il nulla e le mani sul Bombardiere non le metteva più nessuno. Ti sfugge l'obiettivo, non c'è niente da fare. Sei maschio, quindi limitato. Non è colpa tua. È la natura che ha voluto così».

Pardo si sarebbe voltato adirato, se l'armatura di ghiaccio glielo avesse consentito.

«Vuoi vedere che adesso butto questa maledetta canna da pesca, accendo il motore e me ne torno a casa, con tutti i miei limiti? Non capisco come...»

Un'utilitaria si fermò nel parcheggio antistante il molo. Ne scese un uomo che camminò lento fino alla panchina, dove sedette. Da quella distanza Pardo lo distingueva appena, ma grazie al teleobiettivo Viola disse:

«Oh, eccolo qui. Ispettore, ti presento il signor Dante Miccio, in arte il Bombardiere».

«E come fai a dirlo, scusa? Non lo hai mai visto.»

La coperta ridacchiò:

«Sei un dinosauro, Pardo. Ti hanno mai detto che esiste Internet? Per quanto possa stare nascosto, e questo bastardo cerca di farlo in modo maniacale, non puoi essere al centro della finanza dell'intero Paese senza un minimo di fotografie in rete. Anche se lo trovo piuttosto invecchiato rispetto a quelle immagini, devono risalire a qualche tempo fa. In ogni caso, è lui».

Passò quasi mezz'ora. A Pardo gli occhi lacrimavano per il vento.

«Ma l'altro stronzo quando arriva? Escludo che una persona sana di mente venga a trascorrere la mattinata su una panchina della tundra con la bora, no? Quindi prima o poi verrà, il maledetto Cantore.»

«E infatti eccolo. Ha parcheggiato.»

Un'auto giapponese rossa, con un bisogno urgente di essere lavata, si era fermata di traverso vicino all'utilitaria. Ne era sceso il commerciante, il quale, dopo essersi guardato attorno, si era spostato verso la panchina.

L'obiettivo di Viola cercò il fuoco con un ronzio meccanico. Pardo, quasi fosse visibile a quella distanza, non mosse un muscolo. Il vento, che soffiava forte in direzione del mare, portò il suono di due voci ma con parole indistinguibili.

I due uomini si salutarono, e Cantore lo fece con evidente imbarazzo. Il commerciante sedette e cominciò a parlare. Dalla barca, Viola e Pardo colsero una tensione crescente. Miccio era immobile, le mani nelle tasche del soprabito, gli occhi fissi sull'interlocutore. Cantore andò avanti per quasi cinque minuti, poi parlò Miccio. Dopodiché il commerciante riprese a gesticolare e a un certo punto strinse con le dita il braccio dell'imprenditore, che abbassò lo sguardo sul punto di contatto e si liberò con uno strappo. Si rivolse di nuovo a Cantore, con qualche frase secca.

Il commerciante sembrò reagire con animosità. Scattò in piedi, agitando le mani. Il vento portò il suono stridulo della sua voce, decisamente salita di volume.

Miccio non si era schiodato di un millimetro. Aspettò che Cantore esaurisse l'energia, poi parlò ancora. Il commerciante sedette di nuovo, catturato da ciò che il Bombardiere gli stava dicendo.

Alla fine annuì e si alzò. Si scambiarono un cenno, poi l'uomo si avviò alla macchina.

Pardo piagnucolò:

«È finita, sì? Adesso ce ne possiamo andare?».

«Aspetta. Ce ne andiamo quando se ne va il Bombardiere.»

In effetti, l'uomo sembrava poco incline ad abbandonare la posizione. Attese che Cantore lasciasse il parcheggio, e quando anche il rombo del motore fu sparito, tirò fuori dalla tasca un cellulare.

Digitò un numero. Portò il telefono all'orecchio e disse qualche breve frase, poi lo ripose e raggiunse l'utilitaria.

Viola strillò a Pardo:

«Be'? Abbiamo concluso. Che aspetti?».

«Credo abbia abboccato qualcosa, dannazione. E adesso cosa faccio?»

XXXI

C'era qualcosa di strano nel fatto che Viola e Pardo, i quali avevano assistito più o meno da vicino alla conversazione tra Miccio e Cantore, pendessero dalle labbra dei due che invece non c'erano stati. Potenza della tecnologia, certo: ma anche delle facoltà affinate in anni di esercizio.

Nella fattispecie l'interpretazione spettava a Sara, che appariva, rispetto all'abituale modo asettico di affrontare le cose, più tesa e preoccupata.

Viola e Pardo erano giunti infreddoliti ma contenti di essere riusciti a portare a termine un piano messo in piedi con tanta fretta. L'ispettore aveva peraltro sottobraccio una grossa spigola avvolta in un foglio di giornale, e quando Sara l'aveva fissato interrogativa era andato torvo in cucina, da dove si sentì sbattere la porta del frigo. Viola aveva alzato gli occhi al cielo, l'altra aveva preferito non insistere.

Andrea e Sara dovevano avere già commentato in diretta le riprese di Viola; c'era un fermo immagine sull'arrivo di Cantore.

Sara disse:

«Prima di tutto, Viola, mi voglio complimentare. Avessimo avuto ai nostri tempi qualcuno in grado di fornire immagini del genere, il nostro lavoro sarebbe stato di una facilità enorme. Definizione perfetta, stabilità totale. Sembra davvero di stare lì».

«Non è merito mio, ma grazie. La macchina è magnifica e il teleobiettivo me l'hai regalato tu. Una fotoreporter queste cose le fa sempre.»

Pardo intervenne, gelido:

«E certo, i complimenti vanno a lei, che se ne stava nascosta al calduccio; io che mi sono congelato, che ho corso tutti i rischi di essere visto e ho i sedili che puzzeranno di pesce per sempre, nemmeno vengo citato nei ringraziamenti. Vabbe', andiamo avanti... Abbiamo capito qualcosa di quello che si sono detti?».

«Abbiamo capito quasi tutto. E non ci sono buone notizie, direi. Ma andiamo con ordine. Guardate qui.»

Sara fece partire il video dell'arrivo di Cantore.

«Non sto a spiegarvi tecnicamente, ma i due non si erano mai visti prima. Lo capiamo dalla postura di Cantore, dal suo modo di fare guardingo. Miccio invece lo conosceva benissimo, avrà fatto delle ricerche. È determinato però preoccupato. Lo si vede dalle sopracciglia e dal fatto che non mostra alcuna cordialità nei confronti dell'altro. Nel corso del dialogo indurirà più volte la mandibola e stringerà le labbra. È un uomo pericoloso, razionale ma anche emotivo.»

Pardo chiese:

«Sei sicura che non si conoscessero? E allora che hanno da dirsi?».

Rispose Andrea:

«Se Mora lo dice, significa che ne è sicura. Il punto però è un altro: qual era il tema della discussione? Perché all'inizio pareva Cantore a volere qualcosa, poi sembrava lo volesse Miccio. E come si sono lasciati?».

Viola disse, pensosa:

«E c'è la telefonata che il Bombardiere ha fatto alla fine. Mi è parso... non so... come avesse cambiato atteggiamento».

Sara riprese i fili.

«Andiamo con ordine. Cantore ha parlato di necessità. Dal labiale si colgono parole come euro, soldi, soffocato, strozzini. Ha indicato la propria gola e il costato, di certo raccontando il pestaggio subìto. Poi, guardate qui: cambia argomento. Addolcisce i lineamenti, la gestualità si fa più tranquilla. Dice chiaramente "mia moglie" almeno due volte, qui e qui.»

Andrea precisò:

«Ma non ne parla in maniera evocativa, vero, Mora? Di' loro quello che hai detto a me».

«Vi confermo che, con un alto margine di probabilità, l'atteggiamento di Cantore fa capire che ritenga la moglie ancora viva. E Miccio ha tutto l'interesse a che lui lo creda. Dice almeno due volte: e io aspetto. Ma Cantore reagisce male: guardate.»

Andò avanti col filmato, fino al punto in cui si vedeva il commerciante balzare in piedi agitato.

Sara spiegò, picchiettando l'indice sullo schermo:

«La reazione è dovuta a sorpresa e disappunto. Il Bombardiere ha detto a Cantore qualcosa che non si aspettava e ha una terribile importanza. In pratica, Cantore prevedeva una diversa evoluzione della conversazione e non accetta la piega che prende. È come se uno imboccasse una curva a cento all'ora per poi scoprire che al di là della svolta c'è un muro».

Pardo aguzzò la vista.

«Ricapitolando: Cantore è andato da Miccio a chiedere qualcosa dopo aver rappresentato la propria situazione, con tanto di mimica del pestaggio; e Miccio per tutta risposta gli ha detto di no?»

Sara fece una smorfia:

«Sì, forse. È più l'inverso, come se Miccio avesse chiesto qualcosa a Cantore. Quasi gli avesse posto una condizione che lui non può o non sa risolvere. Soprattutto il Bombardiere dice una parola. Guardate, è molto chiara».

Sara ingrandì il viso dell'imprenditore, il quale, fissando duro Cantore all'impiedi, apriva e chiudeva la bocca. Pardo e Viola si fissarono perplessi, non riuscendo a interpretare.

Andrea prese atto che i due non ci arrivavano e sillabò:

«Cas-set-te. Dice tre volte la parola cassette».

Pardo era il ritratto della sorpresa.

«E che accidenti vorrebbe dire, cassette? Frutta? Acqua minerale? Vuole fare la spesa?»

Andrea scrollò la testa, avvilito.

«No, il fatto è più serio. Stanotte ho ascoltato le registrazioni dell'epoca che riguardavano Miccio, che come sapete era una figura di secondo piano e purtroppo su di lui non si andò a fondo. Dal miglioramento dell'audio quando lui era presente, ipotizzammo che creasse le circostanze giuste per incidere le conversazioni, ma non ne avemmo mai le prove anche perché non le cercammo. Magari avevamo ragione.»

Viola non capiva.

«E questo che c'entra con Cantore?»

Sara riassunse paziente:

«Sua moglie, la nostra Biancaneve, è stata la segretaria di Miccio. E sappiamo che poi ha percepito per anni un lauto stipendio, pur non lavorando; eppure il Bombardiere ha interessi in diverse aziende, non ci avrebbe messo molto a piazzarla da qualche parte, anche perché nel 1993 lei era ancora il suo braccio destro, di assoluta fiducia e competenza».

Andrea commentò:

«Quindi le domande sono: che relazione c'era adesso tra Miccio e la donna? Qual è stata negli ultimi vent'anni? Perché lui la pagava per non fare niente? Perché Cantore si sente in diritto di chiedere aiuto a Miccio, e perché Miccio glielo condiziona a qualcosa che riguarda le cassette?».

Pardo disse, a labbra serrate:

«E perché Cantore, anche se seccato dall'imprevisto, se ne va di fretta, come avesse qualcosa da fare?».

Sara annuì:

«Sì. Ma qui arriviamo alla telefonata che Miccio fa appena Cantore lascia la scena. Che per fortuna Viola ha ripreso con perizia».

La ragazza rivolse a Pardo un'occhiata di trionfo, e l'ispettore si succhiò i baffi. Sara fece partire il filmato.

«Dice: ho appena finito. Confermo: potete procedere. Toglietemelo dalle palle.»

La frase cadde nel silenzio. Viola disse, sommessa:

«Dio mio. Lo vogliono... lo vogliono...».

Sara la interruppe.

«Temo di sì. Dobbiamo trovare un modo per avvertirlo.»

Andrea non era d'accordo.

«Non ci crederebbe, e poi cosa gli possiamo dire? Non sappiamo nemmeno se è a conoscenza di quello che faceva la moglie per Miccio. Magari la sta solo cercando.»

Pardo si mise in piedi:

«Io sono un poliziotto, dannazione... Se ho notizia di un reato che sta per verificarsi, devo intervenire per sventarlo. Ho giurato. Per cui adesso lo vado a prendere».

Viola chiese:

«E a che titolo? E soprattutto, a lui cosa dici? Lo arresti per futuro tentato omicidio nei suoi confronti?».

«E tu che proponi, sentiamo? Lo lasciamo nelle mani di quella gente?»

Sara calmò le acque:

«Non è una cattiva idea. Prendilo, Davide. Gli parlo io e gli faccio capire che è meglio per lui se sparisce. Nel contempo cerchiamo di studiare meglio la relazione tra Biancaneve e il Bombardiere, anche se temo proprio che quello che ci servirebbe, cassette, corpo e scatola nera, sia in fondo al mare e irrecuperabile».

Pardo annuì e si avviò alla porta.

Il cellulare di Sara vibrò due volte nella tasca.

La donna lo prese e lesse: "Secondo me ti serve un buon libro. Ora".

Il mittente era anonimo.

XXXII

Al bar della libreria, Sara trovò una Teresa in netto recupero rispetto agli ultimi incontri.

Era tutta in tiro, avvolta in un tubino con spacco laterale, la coscia in mostra con tanto di calza autoreggente. Giacca aperta e scollatura generosa, capelli vaporosi, trucco perfetto. Le scarpe, manco a dirlo, avevano un vertiginoso tacco a spillo.

Se ne stava seduta a gambe accavallate, sorseggiando qualcosa di alcolico da un calice. Sara si accorse che due ragazzi a un tavolino poco distante e un uomo di mezz'età a un altro non nascondevano il loro forte interesse per l'amica.

Si accostò al tavolo e la squadrò.

«Caspita, Bionda. Sembri un'altra. Che succede?»

«Niente, cara. Ho capito che la vita è gradevole solo se la rendiamo tale. E poi tornare operativi rende giovani. Almeno per quanto riguarda me, tu sembri sempre mia nonna buonanima.»

Sara sedette, senza darle spago.

«Immagino che mi abbia chiamata perché hai scoperto qualcosa.»

Teresa disarcionò le gambe in direzione dei due ragazzi. Uno di loro fece cadere a terra un cucchiaino con grande fragore.

«Certo che sì, tesoro. Ma prima dimmi che abbiamo.»

Sara le riferì le novità, incluse le ultime relative all'incontro filmato dalla barca.

Teresa parve colpita.

«No! Una barca, dici? E la mammina si è messa sotto una coperta sul fondo e ha ripreso? Ma ti rendi conto? Sono bravissimi, questi ragazzi! Nemmeno a noi ai nostri tempi sarebbe venuto in mente!»

Sara continuò con le considerazioni che aveva tratto, in relazione a quanto avevano raccolto all'epoca durante l'indagine sul Bombardiere. Teresa ascoltava attenta, incurante delle occhiate dei due ragazzi e dell'uomo di mezz'età che stava diventando strabico nel continuare a fingere di leggere un libro. Alla fine disse, pensosa:

«Non so se prelevare Cantore sia una buona idea, Mora. Sicura che ti crederebbe? Sai com'è fatta questa gente, pensa sempre di avere delle carte da giocarsi anche quando è evidente che tutto è perduto. Altrimenti non si sarebbe fatto trovare nel negozio dai due picchiatori, tantomeno sarebbe andato all'appuntamento col Bombardiere».

«Appunto, Bionda. Pensaci. Se è convinto di avere delle buone carte, magari le ha. Sento una forte puzza di ricatto; non so di chi a chi, però. Forse la povera Biancaneve, prima di inabissarsi, ha lasciato qualche documento al marito, o comunque gli ha detto qualcosa. Per questo ci voglio parlare.»

«La mia furbissima Mora... Sono d'accordo. Ma la tua socia, qui, ha dell'altro da mettere sul piatto.»

«Sono tutta orecchi.»

«Allora, ho incrociato le inchieste che hanno visto la presenza anche marginale del Bombardiere. Hai presente quel modo strano di parlare nelle intercettazioni, ripetendo con chiarezza ciò che l'interlocutore aveva detto senza che fosse comprensibile? Be', non ha mai smesso di farlo. Per cui, se quello che abbiamo sempre pensato era vero, cioè che lui registrasse le conversazioni, allora vuol dire che...»

«Che ha continuato a incrementare il suo archivio sonoro.»

«Non solo. Poiché così facendo il nostro Bombardiere accresceva in importanza, essendosi alzato di livello saliva anche quello dei politici, degli industriali, dei giornalisti con cui aveva a che fare.»

Sara cercava di decifrare la portata della situazione.

«Certo. E noi abbiamo soltanto i colloqui riguardanti le persone su cui abbiamo indagato, mentre lui...»

«Mentre lui li possedeva tutti. Decine, forse centinaia di contatti con persone insospettabili, dialoghi su situazioni di cui non siamo mai venuti a conoscenza. Il vaso di Pandora, Mora.»

«Ecco perché sei così euforica, Bionda. Hai azzannato l'osso.»

L'amica mosse le gambe, e i due ragazzi si diedero di gomito.

«Potrebbe essere la svolta, Mora. Davvero.»

Sara sospirò:

«Ma se le cose stanno così, l'archivio del Bombardiere è in fondo al mare insieme al cadavere della povera Biancaneve. Certo, potrai focalizzare su di lui le prossime indagini, ma quello che c'era è andato perduto».

L'amica picchiettò un'unghia rosso fuoco sul piano del tavolino.

«Attenta, Mora. Credi che una come me, dopo anni di esperienza, non faccia controlli su larga scala? Mi sono messa a indagare su Fulvia Bianco attraverso gli archivi informatici dei Servizi. Molte cose le ricorderai anche tu: votata al lavoro, leale come un cane da riporto, bruttina e stagionata. Diploma di ragioneria, facoltà di Economia mollata presto, eccetera. Il papà era un bancario di questa città. Ma la mamma? Chi era, la mamma?»

Sara friggeva:

«Chi era?».

«Era una ragazza che il padre aveva conosciuto in vacanza, a vent'anni. E indovina dove era andato in vacanza?»

«Maledizione, Bionda, io...»

«In Sardegna, in Costa Smeralda, dove la fanciulla era cameriera in un alberghetto. Ora, di cognome la signora faceva...? Dai, Sara, ci puoi arrivare.»

«Badas. Faceva Badas, ed era di...»

Teresa allungò una mano e diede un buffetto a Sara.

«Brava, proprio così, era di Aggius, in Gallura.»

«E che c'entra? Sai bene che quando ci si inventa una falsa identità si usa il nome della madre, e... Oh, mio Dio...»

Teresa pareva divertirsi un mondo.

«Esatto, Moretta. Il nome non era affatto falso, la nostra Biancaneve aveva utilizzato quello della cugina, nubile e maestra elementare a Sassari. La figlia della sorella della madre, nata nello stesso giorno, due parti cesarei, erano molto unite. Due gemelle con cognome diverso. Fulvia e Flavia. Bello, no?»

Sara pensava in fretta.

«Quindi stava andando a nascondere le audiocassette dalla cugina? E questo cosa ci cambia, scusa?»

«E dai, non mi deludere proprio adesso. Che senso avrebbe avuto andare a nascondere le cassette, se in cambio di una lauta ricompensa per salvare il marito doveva restituirle al Bombardiere? Il quadro lo hai fatto tu: Biancaneve era la custode, per questo prendeva un bel mensile. Quindi...»

«Quindi forse, e dico forse, non stava portando le cassette. Le stava...»

«Andando a prendere, giusto. Insomma, l'isola del tesoro è ad Aggius, magari nella cantina o nella soffitta della sopravvissuta signora Badas. E se all'aereo è successo quello che è successo, abbiamo garanzie sufficienti che questa informazione non sia in possesso del Bombardiere. Né, credo, del marito, al quale la fedele e riservata Biancaneve non avrà confidato nulla.»

Sara balzò in piedi.

«Si deve andare lì, prima possibile.»

«Sì, ma io non posso. Troppi occhi addosso, e non parlo dei due segaioli laggiù né del tardone all'altro tavolo. Devi farlo tu. Attenzione, però: quel veloce ordine di chiusura delle indagini non mi fa presagire niente di buono.»

Sara si avviò verso la scala. Bionda la fermò.

Lei sperò non si trattasse di quello che immaginava. Teresa disse:

«Ho un'altra notizia per te».

XXXIII

Cesare Cantore si guardava attorno, spaesato, ignaro di cosa stesse accadendo. Tutto appariva privo di logica. In particolare, gli era parso surreale essere prelevato senza spiegazioni da un arcigno ispettore della polizia per ritrovarsi in un appartamento a breve distanza dal suo negozio, al cospetto di una giovane mamma con un bambino impegnato a giocare sul tappeto e di una signora anziana che aveva l'aria di esserne la nonna.

«Scusate, qualcuno potrebbe spiegarmi perché sono qui?»

Sara provò a tranquillizzarlo.

«Mi dispiace per le modalità, signor Cantore, ma mi creda: è per il suo bene.»

Visto da vicino, sembrava più vecchio che attraverso il teleobiettivo. La pelle bianchiccia e rugosa contrastava con la colorazione scelta per capelli e baffi, e con la peluria grigiastra del viso. Una patina di sudore gli imperlava la fronte, e le pupille guizzavano da una parte all'altra nel tentativo di decodificare l'eventuale pericolosità della situazione. L'unico rischio di natura fisica che correva, concluse, poteva venire dall'uomo massiccio che se ne stava minaccioso a braccia conserte, in piedi tra lui e la porta d'ingresso.

Si rivolse a Pardo.

«Quindi non sei un poliziotto, è così? Chi ti manda, lo Slavo? Ho già detto che è questione di ore, ma se non mi date il tempo di fare quello che devo fare, non potrò...»

Pardo ruggì:

«Primo, non mi dia del tu e non si permetta confidenze. Secondo, io sono un ispettore di polizia e le ho mostrato il tesserino. Terzo, non le ho detto che l'avrei condotta in commissariato, l'ho solo invitata a seguirmi e lei ha accettato. È libero di andarsene quando vuole».

Cantore sbatté le palpebre, ancora più confuso.

«Me ne posso andare, davvero?... Le domando scusa, ispettore. Non tenga conto di quello che ho detto prima, è un periodo difficile... Allora io vado, grazie, ho piuttosto da fare e...»

Sara lo fermò.

«Ascolti, signor Cantore. Noi siamo al corrente della sua situazione, sappiamo quello che le sta succedendo e soprattutto quello che le può succedere a breve, se non si prendono contromisure adeguate.»

«Mi perdoni, signora, con tutto il rispetto, ma non...»

«Lei ha contratto un debito di duecentocinquantamila euro con degli usurai. Ha ricevuto una visita in negozio da due esattori, diciamo così, che l'hanno maltrattata nell'androne del palazzo di fianco, in pieno giorno. E non soltanto non ha chiamato aiuto, ma nemmeno ha denunciato il fatto. Sì o no?»

Il commerciante si sgretolò sotto i loro occhi. Sbiancò ancora di più, le labbra presero a tremare e si lasciò cadere di nuovo sulla sedia.

«Voi... Ma voi chi siete davvero? E chi vi ha detto queste... Erano delle persone con cui ho in ballo un affare, abbiamo discusso e...»

Viola intervenne, dolce:

«Signor Cantore, io non mi preoccuperei di chi siamo né di chi ci ha informati, ma di capire se possiamo aiutarla. Perché mi creda, lei ha bisogno di aiuto. E pure con urgenza».

Cantore deglutì. Pardo pensò che, pur non essendo dotato dell'espressività di quello del Muto, anche il pomo d'Adamo del commerciante aveva una notevole mobilità.

«Io... io sto risolvendo, mi serve soltanto del tempo. Ieri ho parlato... ho avuto un contatto, se ne sta occupando mia moglie e...»

Sara disse, calma:

«L'uomo con cui ha parlato ieri è il vecchio datore di lavoro di sua moglie, il quale peraltro seguita a pagarla. Le ha chiesto qualcosa, in cambio dell'aiuto che ha implorato. Deve sapere che però quell'uomo non l'aiuterà affatto, e che anzi costituisce per lei il pericolo maggiore. Ben più grave degli strozzini che ha addosso».

Cantore era terreo, rannicchiato sulla sedia. Proprio non sapeva come venir fuori da quell'incubo.

«Sentite, davvero ignoro come facciate a disporre di queste informazioni. Ma vi posso assicurare che quell'uomo è un riferimento per mia moglie, da lui abbiamo sempre ricevuto del bene e mi aiuterà anche stavolta, ne sono certo. Non posso credere che...»

Pardo domandò, secco:

«Dov'è sua moglie, signor Cantore? Da quanto non la sente? Quali sono le ultime notizie che ha di lei?».

La voce, proveniente da un punto alle sue spalle, ebbe l'effetto di un cazzotto in mezzo alla testa. Il commerciante incassò il collo nella camicia troppo larga, chiuse gli occhi. Poi disse:

«Mia moglie è partita per lavoro. Mi ha detto che sarebbe rientrata presto e che non sarebbe stata rintracciabile nel frattempo. Mi ha detto pure che... che avremmo risolto tutto. Che avrebbe trovato lei i soldi».

Per un istante calò il silenzio, accompagnato dal sommesso sonoro della TV seguita da Massimiliano.

Viola chiese:

«E come pensava di risolvere? Sa dove era diretta?».

«No, no. Riteneva che...»

Sara finì per lui:

«Che era meglio non sapesse, vero? Come ogni volta che in qualche modo reperiva i soldi necessari a ripianare le perdite».

Cantore reagì:

«Sì. Perché io sono l'unica persona che ha, e lei è l'unica persona che ho. Perché siamo sposati, e tra marito e moglie ci si sostiene. Ci siamo trovati tardi, eravamo già adulti, ma anche così si può avere un affetto profondo. Quindi sì, mi diceva che non dovevo chiedere, che erano fatti della sua vita precedente. Che se me ne avesse parlato avrebbe potuto finire male. E io mi fido di lei».

Pardo guardò Sara e annuì. La donna sospirò:

«Mi dispiace tanto, signor Cantore. Ma purtroppo abbiamo ragione di pensare che sua moglie, Fulvia Bianco, fosse sotto falso nome sull'aereo diretto in Sardegna e precipitato una settimana fa nel mar Tirreno».

L'uomo restò raggelato. Non muoveva un muscolo, le mani aggrappate ai braccioli della sedia.

«No... Non è vero... Che ci avrebbe fatto, Fulvia, a bordo di un volo privato? E perché poi sotto falso nome? Se non era registrata, come fate a dire che fosse lei? Adesso io mi alzerò, uscirò da quella porta e voi non sarete mai esistiti. Mia moglie tornerà da me oggi stesso, domani al massimo, e risolveremo tutto insieme come abbiamo sempre fatto.»

Il tono pacato, razionale e allo stesso tempo allucinato impietosì Sara.

«La capisco, mi creda. Ma le abbiamo dimostrato che disponiamo di parecchie informazioni. E mai avremmo voluto che apprendesse così questa orribile notizia. Ma è stato necessario, per il motivo che le spiegherò. Lei è in pericolo, signor Cantore: potrebbe scomparire nel nulla oggi stesso, come sua moglie. Perché lo sa che è sparita, no? Sa che avrebbe dovuto rientrare almeno cinque giorni fa, e invece non è tornata né si è fatta viva. Sa bene che l'avrebbe chiamata, che l'avrebbe avvertita.»

Diede modo a Cantore di elaborare quei concetti e ricostruire gli eventi secondo un nuovo schema. Si augurò che facesse in fretta, ma non tutti possedevano la necessaria duttilità. E le notizie che l'uomo aveva ricevuto erano abbastanza rivoluzionarie per la sua vita.

«Mia moglie tiene per sé le sue cose, e io nemmeno chiedo, in fondo mi basta vederla tranquilla. Ma non sarebbe mai sparita così. Mi chiama sempre, per sapere come sto. È premurosa, tanto... Io lo so che le è successo qualcosa. Per questo ho fatto quella telefonata, perché me l'aveva detto lei. Se succede qualcosa, cerca il dottore, lui ti sosterrà. Non avrei mai composto quel numero, se non avessi temuto che...»

Sara disse:

«E allora deve dirci di più, signor Cantore. Lei ha incontrato il dottore, il cui nome è Dante Miccio, e gli ha esposto la sua situazione. Vi siete visti vicino al mare, da soli. Lui le ha detto che sarebbe intervenuto in suo favore, ma ha posto una condizione. Quale?».

Il commerciante taceva. Sara provò a spronarlo:

«Le ha parlato di cassette. Sappiamo anche questo. Ma se vuole che l'aiutiamo, deve dirci quello che voleva. La prego, signor Cantore: siamo gli unici a poterle dare una mano. Perché chi in apparenza sta facendo altrettanto, appena capirà che lei non potrà saldare il suo debito e non ha altro da offrire in cambio, sarà il primo a volerla morto».

Gli lasciò il tempo di riflettere. Alla fine l'uomo disse:

«Non sapevo di cosa parlava. Le cassette, diceva. Mi porti le cassette e risolvo io. Ma quali cassette, ho risposto, io non ho nessuna cassetta. Lui ha insistito: controlli bene, scopra dove Fulvia può averle nascoste. Ho cercato, ma non ho trovato niente. E Fulvia... Fulvia ha il telefono staccato».

I tre si guardarono, tristi. Viola chiese:

«Ha idea di dove fosse diretta con precisione? Negli anni le avrà parlato di qualcuno in Sardegna, amici, parenti…».

«La madre era sarda. Ma non siamo mai andati da lei. Credo abbia una cugina, da giovani erano molto legate, però io non l'ho conosciuta. Il paese è Aggius, in Gallura. Non so altro.»

Pardo disse:

«Ascolti bene, signor Cantore. Lei deve dileguarsi, mi spiego? Uscendo di qui non vada in negozio, né a casa. Prenda un treno, poi un altro, poi un altro ancora. Dopo vada in una questura, denunci tutti gli usurai che ha incrociato e chieda di entrare in un programma di protezione. O così, o quelli la faranno sparire».

Sara soggiunse:

«Lo faccia per sua moglie. Con ogni probabilità, ha sacrificato la propria vita per lei. Non renda inutile il suo gesto».

L'uomo si coprì la faccia con le mani. Disse, e la voce tradì una forte emozione:

«Sono stato io, vero? In qualche modo l'ho uccisa io. Lei non avrebbe mai preso iniziative pericolose se non fosse stato per me».

Viola guardò il piccolo Massimiliano, che si era addormentato sul tappeto davanti al televisore. Disse:

«Per amore si fanno le cose più strane. Le più lontane da sé. Se sua moglie ha fatto quel che ha fatto, è stato per amore. Soltanto per amore».

XXXIV

Uno dei tanti palazzi pieni di uffici, tra pubblici e privati, all'interno di uno dei tanti quartieri pieni di edifici anonimi. Pubblici e privati.

Venti piani sopra e quattro sottoterra, sei ascensori più due di servizio, riscaldamento eccessivo. Due banconi per il ricevimento, uno stuolo di targhe aziendali con indicazione del piano. Musica soft in sottofondo, andirivieni di uomini e donne armati di borse e fascicoli, capannelli impegnati in discussioni animate nell'androne sterminato.

Un uomo dai capelli bianchi entrò dalla grande porta in vetro e attraversò l'atrio, tenendosi vicino alla parete alla fine della quale era collocata la prima coppia di ascensori. Sapeva dove andare, proprio come aveva saputo arrivare alla panchina vicino al mare presso cui aveva incontrato l'ometto col riporto. E del resto, si trattava della stessa cosa.

Piano meno due. Un corridoio, un'uscita antincendio, una rampa in salita, un altro corridoio e poi una porta, senza targa e senza campanello. Incrociò lo sguardo di una donna intenta a digitare su una tastiera, dietro una scrivania. La fissò interrogativo, lei concluse la frase che stava scrivendo, gli rivolse un saluto e fece cenno di accomodarsi. L'uomo dai capelli bianchi varcò la porta e se la richiuse alle spalle.

La stanza era ampia, dotata di scaffalature stipate di fascicoli. A un tavolo ingombro di carte con un computer su un lato sedeva un tizio magro e di mezz'età, giacca scura e cravatta sottile. Lenti da lettura sulla punta del naso, viso scavato, rada chioma grigia.

Tenne lo sguardo sull'altro, scorrendolo dalla testa candida al costoso soprabito, fino alle scarpe nero lucido. Avevano la stessa età, più o meno, ma non avrebbero potuto essere più diversi.

«Oh, avvocato. Grazie di essere venuto subito. Prego, si accomodi.»

L'uomo dai capelli bianchi si sistemò sulla sedia che gli fu indicata. Un aeratore ronzava discreto.

«Salve, dottore. Mi domando sempre come facciate a starvene tutto il giorno sottoterra. Non vi sentite oppressi?»

«Anzi, è rassicurante. A volte, quando pensiamo di trovarci in prossimità di una guerra nucleare, diciamo che possiamo continuare a lavorare tranquilli mentre di sopra l'umanità si estingue.» L'espressione perplessa dell'avvocato gli fece aggiungere, in fretta: «Scherzo, sia chiaro. Sono contento che sia venuto, perché abbiamo un piccolo problema.»

L'avvocato si stizzì:

«Dottore, di tutto abbiamo bisogno in questo momento tranne che di ulteriori problemi. La questione che abbiamo dovuto fronteggiare, nella maniera violenta che ha fatto orrore a molti di noi, doveva essere conclusiva. Ce n'è voluto per convincere tutti del rischio effettivo che si correva. Cos'altro succede?».

Il tizio magro assunse un'aria afflitta:

«Avvocato, mi creda se le dico che nessuno vorrebbe disturbarvi. Non abbiamo mai mancato di rispettare gli ambiti operativi, me ne deve dare atto; e quando ci avete chiesto aiuto siamo sempre intervenuti con discrezione e professionalità, anche solo per evitare grane successive ad azioni come quella del volo per la Sardegna».

L'uomo dai capelli bianchi fece una smorfia ironica.

«Ah, ma quanto a questo, dottore, siete stati ben ricompensati. Non vorrei essere volgare, ma la stessa posizione che lei occupa oggi...»

L'altro si produsse in un lieve inchino col capo:

«Lo so, e ve ne sono grato. La mia convocazione di oggi è appunto un fiore, una delicatezza nei confronti suoi e del suo gruppo. Io offro soluzioni, non guai. Mi conosce da abbastanza tempo per ricordarlo».

L'avvocato annuì, secco. Quando cominciava ad agitarsi, l'accento toscano si faceva più evidente:

«Ne sono consapevole, dottore. E che si è un po' tesi, ultimamente. Non si conosce l'esatta portata della questione, perché Miccio è sempre vago sull'argomento. Le dico la verità: non sono pochi quelli che se ne libererebbero volentieri. Se non si avesse paura di ciò che ha in mano, noi...».

«Allora gradirà in maniera particolare quello che sto per dirle, avvocato. Perché il problema esiste, ma siamo

ancora nella fase in cui si può risolvere. Magari chirur-
gicamente anziché con una adeguata terapia, ma si può
risolvere.»

L'avvocato sbiancò:

«Ancora? Ascolti, dottore: né io né il mio gruppo,
come lo chiama lei, gradiamo le soluzioni chirurgiche.
Lasciano strascichi, non si mettono mai del tutto a posto. E magari tornano a galla dopo anni. Noi, si sa, pro-
grammiamo secondo un'ottica di lungo periodo. Siamo
quelli che sopravvivono, che restano al potere. Non siamo mica come i politici o gli imprenditori della Silicon
Valley. Noi si dura».

Il tizio magro rise, come per una battuta riuscita:

«Ah, ma questo mi è chiaro, avvocato. Altrimenti
perché sarebbe qui? Non penserà che chiunque abbia
accesso a queste stanze, oppure che basti una conoscenza comune, una poltrona o un po' di soldi per ottenere
la nostra fedele collaborazione?».

«No, dottore, non dicevo questo, ma...»

L'altro perse il sorriso:

«Voi siete soltanto i cavalli su cui abbiamo puntato.
Bei purosangue, autentici campioni, per carità: ma pur
sempre cavalli. Lo tenga a mente, per cortesia».

L'uomo dai capelli bianchi si fissò le unghie, pensando a una risposta graffiante; poi decise che una gara a
chi l'aveva più lungo sarebbe stata inopportuna, anche
perché era lì per ricevere, non per dare.

«Come che sia, dottore, noi e voi si sta sulla stessa
barca. E siamo consapevoli che migliori compagni di
viaggio non si possano desiderare. Quindi mi dica pure.»

Il tizio magro fu soddisfatto e prese un foglio.

«Allora, avvocato, mi lasci spiegare come funziona questa parte del lavoro. Non mi addentrerò in tecnicismi, ma un minimo glielo devo dire. Come sa, la nostra struttura è interna a una più grande, in buona parte, diciamo così, facilmente tracciabile. Ed è sotto il controllo della politica, dei militari, delle forze dell'ordine e anche della magistratura.»

L'avvocato friggeva sulla sedia:

«Ne sono al corrente. Mi riconosca almeno un po' di competenza nel settore…».

«Ma certo. Era per inquadrare la situazione. Anche noi facciamo parte del controllo operativo. Una sezione, diciamo, meno emersa del servizio. Una specie di organo valutativo e di indirizzo, che interviene solo in certi casi. È chiaro fin qui?»

«Senta, dottore, io non capisco proprio il motivo per cui…»

«Questo comporta che abbiamo l'opportunità di monitorare, in maniera riservata, s'intende, l'attività svolta dalle strutture periferiche. Anche le ricerche informatiche.»

L'altro taceva, non avendo idea di dove volesse andare a parare. Il tizio magro riprese:

«Non ci mettiamo certo a guardare l'immensa mole di interrogazioni che stagisti, agenti e subagenti fanno sui loro computer, anche perché ne dovremmo licenziare la metà tra siti porno e cataloghi commerciali. Ma se vengono a galla alcuni nominativi o determinate situazioni, allora il nostro livello di attenzione si alza».

L'avvocato fissava da un po' il foglio in mano all'altro, tenuto in modo che non si leggesse cosa c'era scritto. Con tono allegro, il tizio magro disse:

«Dunque, io ho per lei una notizia buona e una cattiva, avvocato. Quale vuole ascoltare per prima?».

«Senta, dottore, io non sono certo qui per...»

«Ah, ah, attento, avvocato. Non mi faccia l'isterico, la prego. Altrimenti la ringrazio per la visita e ci vediamo la prossima volta. Se ci sarà una prossima volta, è ovvio.»

Cadde un silenzio atterrito, rotto solo dal ronzio dell'aeratore. Assicuratosi che la minaccia implicita fosse stata recepita, il tizio magro riprese:

«Le do per prima quella cattiva, allora. Qualcuno ha condotto una serie di ricerche che fa pensare a un'indagine lineare sulla questione che ci riguarda. Le leggo: compagnia aerea, pilota, incidente, Pierfelice Ribaudo. E sin qui, poco male. Ma poi: Fulvia Bianco, Cesare Cantore, Dante Miccio. E le cose si fanno antipatiche, ne converrà. Infine, Flavia Badas, che è il nome falso usato da Bianco per salire sul volo. Allarme rosso, direi. No?».

L'avvocato aveva subìto una metamorfosi. I capelli, fin lì una nuvola vaporosa, pendevano inerti sulla fronte coperta di rughe come la faccia. Gli occhi erano arrossati, e dalle labbra colava un antiestetico filo di saliva.

«Come può essere? Quindi siamo perduti!»

«C'è ancora la buona notizia, avvocato. Ricorda?»

«Ma quale accidenti di buona notizia ci può essere?»

Il tizio magro ripose il foglio sulla scrivania.

«La buona notizia è che l'utenza che ha compiuto queste ricerche è una sola, avvocato. E non ci sono rapporti sull'argomento. Ho controllato di persona, glielo posso assicurare.»

L'avvocato si piegò in avanti, animato da una vaga speranza:

«E cosa vuol dire?».

L'altro invece si piegò all'indietro, assestandosi sullo schienale:

«Per questo parlavo di chirurgia, avvocato. Credo che, agendo in maniera tempestiva come per un cancro, si possa, diciamo... asportare il problema. Ho però bisogno della sua autorizzazione, è una faccenda che potrebbe costare. Procedo?».

L'avvocato passò dal terrore alla sofferenza, attraversò la comprensione e la ricostruzione razionale per approdare infine a un aperto sollievo:

«Dottore, non ho nemmeno bisogno di sentire gli altri. Ho sempre apprezzato la sua capacità di lettura delle situazioni, e le sue valutazioni sono perfette. Capirà che la soluzione di questo increscioso problema è in cima alle nostre preoccupazioni. Perciò sì, proceda pure».

«Grazie, avvocato. Con l'aereo in fondo al mare grazie all'additivo nei serbatoi, calcolando con precisione il punto oltre il quale non è consentito il recupero, e in più con l'eliminazione di questo deprecabile accidente, potremo ritenere lo scoglio superato. Se posso permettermi un consiglio, però...»

L'avvocato sorrise, e sembrò un nonno affettuoso che sta per dare una bella notizia al nipotino:

«Dante Miccio, sì. Non si preoccupi, stiamo già provvedendo».

XXXV

Teresa fece un passo indietro e soffiò via un ciuffo di capelli dalla fronte. Mani sui fianchi, tuta rosa con viso di Paperina sulla felpa e ciabatte dal fiocco rosso, rimirava davanti allo specchio il risultato dell'operazione.

«Mi pare accettabile, non credi? Ma tu sei sicura di voler stare di qua? Guarda che non succede niente se ti corichi con me, non sono ancora tentata dalle sperimentazioni.»

Sara, divertita da quel look che rendeva l'amica assai diversa da come appariva al lavoro, si era seduta sul divano letto per saggiarne la solidità.

«Ma no, starò benissimo. È solo per qualche giorno, magari trovo qualcosa dalle parti dell'ufficio, così guadagno tempo negli spostamenti. E poi dormo poco, mi alzo, cammino: ti sveglierei di continuo.»

«Capirai, io non sento nemmeno le bombe. E mi sono posta una regola: niente uomini in casa. O da loro, oppure in hotel: qui no. Mi seccherebbe che quelle cariatidi dei miei vicini si mettessero a mormorare. Già i mariti centenari sbavano ogni volta che sono con me in ascensore.»

«Immagino. Ma stai tranquilla, non daremo adito a chiacchiere. Nel caso potrai dire, come farò io, che sono

una collega venuta da fuori per restare pochissimo. Ti rin-
grazio, Bionda. Non sapevo proprio dove andare.»

Teresa le si sedette accanto.

«Ascolta, non devi andare da nessuna parte. Butteremo
'sto coso, che è un simbolo di precarietà e di scomodità, e
prenderemo un letto decente. Ci sono due stanze, una la
uso in pratica per le scarpe: arrederemo quella e staremo
insieme. Non devi rimanere da sola, non sei abituata. Ma
adesso dimmi piuttosto se sei sicura.»

«Certo che lo sono, pensi che avrei fatto un tale casino
per...»

L'altra la interruppe poggiandole una mano sul braccio.

«No, Mora. Dico: sei sicura di aver valutato tutto? Di
aver capito la portata, le conseguenze possibili? Tu non sei
come me. Non sei impulsiva, non fai le cose e poi ci ripen-
si. Stai con tuo marito da quando eri una ragazzina, hai
un figlio. Noi per mestiere sappiamo leggere le emozioni:
quando parli di Giorgio, quando racconti quello che fa, ti
illumini di tenerezza. Lo ami, tuo figlio. Sei certa di poter
vivere qualche giorno lontana da lui?»

Sara andò alla finestra.

«Non sarà qualche giorno, Bionda. L'ho perso per sem-
pre, uscendo da quella porta.»

«Non dirlo nemmeno per scherzo, sei pazza? Se anche
tuo marito facesse una guerra per togliertelo, vedrai, dare-
mo battaglia e...»

Sara parlò al traffico che scorreva sotto la finestra.

«Non ci sarà nessuna battaglia, Bionda. Lo conosco
bene, Carlo. Voterebbe l'intera esistenza a distruggermi
agli occhi del figlio, addossandomi tutte le colpe per la

fine dei nostri giorni insieme. E il legame che c'è tra loro è molto più forte di quello che Giorgio ha con me, purtroppo. Peraltro Carlo ha ragione. La colpa è mia. Soltanto mia.»

Teresa scattò in piedi.

«Ma per favore, non dire sciocchezze! Colpa di che, si può sapere? Non lo hai tradito, non hai un altro uomo, non sei depressa. Sei una donna che lavora e dedica alla famiglia tutto il tempo che...»

Sara si girò verso l'amica, gli occhi pieni di lacrime.

«È quello che sembra, Bionda. Ed è quello che sosterrebbe un avvocato in tribunale, ottenendo che Giorgio abiti con una madre che imparerebbe presto a odiare, una che non c'è mai e se c'è è triste perché fa una vita che non vorrebbe fare, mentre solo nel finesettimana starebbe con un padre che lo riempie di regali e divertimento. Lo sai che è così.»

«Scusami, Mora: e allora perché te ne sei andata? Tuo marito ti ha fatto per caso del male? D'accordo, hai dei pensieri verso un'altra persona, ma sappiamo entrambe che è una storia che non evolverà in niente, rimarrà un'idea e basta. E allora perché piantare questo casino e rovinare il rapporto con tuo figlio? Cos'è accaduto stanotte di tanto grave da farti citofonare qui, facendomi, per inciso, prendere un colpo?»

Sara tacque. La strada fuori scorreva liquida. Da qualche parte, qualcuno cantava a squarciagola Sei un mito. *Poi disse:*

«Ho capito che non lo amo più, Bionda. Anzi, che non l'ho mai amato, alla luce di quello che provo. Non impor-

ta che non sia successo niente di fisico. Ma se ognuno dei miei giorni scorre nella ricerca della sincerità nascosta dietro la menzogna, come potrei vivere sapendo di mentire ora dopo ora, istante dopo istante, per sempre? Stanotte ho visto dipanarsi sul soffitto tutto il tempo in cui mi sarei ritrovata a simulare, il silenzio, il disinteresse, il disgusto per me stessa, e per lui. Non voglio che mio figlio cresca in un ambiente così».

«Ti capisco, Mora. Ma dubito che nel novantanove per cento delle famiglie le cose siano diverse. Quindi, o si fa come la sottoscritta, che ha altri obiettivi e cerca perlopiù di divertirsi, oppure ci si rassegna. È normale che in una coppia ci siano degli alti e dei bassi, no? Io sono felice di averti qua, sia chiaro: ma magari se aspettavi un po' ti passavano le paturnie.»

Restarono l'una di fronte all'altra, differenti com'erano, vicine com'erano.

«Dici che mi capisci, Bionda, ma non è così. Se avessi visto quello che ho visto io, in quell'attimo, sul soffitto, avresti fatto come me. Io lo so cosa succederà adesso. Non ha senso che mi metta a combattere sulla pelle di mio figlio. È al di sopra delle mie forze restare con un uomo amandone un altro. Ed è sbagliato sollecitare l'altra persona a fare ciò che non sente. Ecco perché non voglio sappia mai che me ne sono andata di casa.»

«Amandone un altro... Hai detto: amandone un altro. Ti rendi conto, Mora? L'hai detto! Tu ami uno a cui dai del lei, con il quale non hai mai fatto un discorso personale, che ha un quarto di secolo più di te e magari è anche gay. Sembri una di quelle ragazzine che si innamorano del *professore di ginnastica. Lo capisci che io non direi una cosa del genere nemmeno dopo aver fatto una tre giorni di sesso acrobatico con l'Uomo Perfetto? E tu butti all'aria una vita, anzi, tre, per un'idea?»*

Sara si mise a piangere. Si portò le mani alla bocca e prese a singhiozzare.

Teresa era sconvolta. Era la prima volta che succedeva, e non sapeva cosa fare.

«Scusami, non volevo... Dai, Mora, ti prego, mi fai paura, smettila. Non importa, in qualche modo faremo. Stai tranquilla, calmati.»

Le spalle di Sara sussultavano per i singhiozzi.

«Ho paura, Bionda. Ho tanta paura. Devo fare come mi dice il cuore, lo so: ma ho paura lo stesso. Mi sento sola, e disperata.»

«Ascoltami bene, Moretta, perché quello che dirò adesso è l'apertura di una parentesi all'interno della quale scriveremo la nostra intera vita. Tu e io staremo sempre insieme, qualsiasi cosa accada. Non sei sola. Ci sono io e ci sarò sempre, con tutti i difetti che ho e con tutti quelli che hai tu. E tu ci sarai per me, se ne avrò bisogno. Siamo sorelle, noi due. D'accordo?»

L'abbracciò, e la tenne stretta fin quando i singhiozzi si calmarono, emettendo dei piccoli suoni con la bocca come si fa coi bambini, per calmarli.

«E adesso prepariamoci un caffè, Mora. E affrontiamo questo mondo insieme.»

XXXVI

Il paesaggio era sferzato dal maestrale. Le nuvole si rincorrevano, alternando luce e ombra sui blocchi in granito che ospitavano le querce da sughero.

Mentre affrontavano l'ultima curva della salita che portava allo stazzo a cui erano diretti, Sara e Andrea non si posero il problema di rendersi invisibili; d'altronde, non ce n'era bisogno. Non volevano passare inosservati.

Prima della loro partenza c'era stata una discussione, a seguito della quale si era deciso che sarebbe stato Catapano ad accompagnare Mora. Pardo si era opposto, argomentando che il suo tesserino avrebbe potuto rivelarsi utile in caso di problemi, ma in realtà era preoccupato per eventuali incontri spiacevoli che Sara avrebbe potuto fare. E Viola, una volta tanto, era stata d'accordo con lui.

Tuttavia, le peculiarità del cieco, considerato ciò che avrebbero potuto scoprire, erano imprescindibili. Peraltro la gioia dell'anziano nel sentirsi di nuovo operativo era così commovente che nessuno aveva più avuto il coraggio di dire nulla. Perciò i due vecchi colleghi si erano ritrovati a bordo del primo volo per la Sardegna, per completare il viaggio che la povera Biancaneve non era riuscita a portare a termine.

Durante il volo, Sara aveva grosso modo individuato il punto in cui era caduto il light jet. Il mare fermo e azzurro, dieci chilometri più in basso, sembrava allargarsi in un abbraccio rassicurante. Mora aveva sentito montare una rabbia fredda, e si era augurata che esistesse pietà per quei poveri innocenti.

Una volta in aeroporto, avevano noleggiato un'auto. Andrea si era rivelato assai abile nel programmare il navigatore dello smartphone. Arrivati in paese, lo avevano attraversato per intero, diretti alla costruzione bassa posta alla fine di una strada sterrata appena fuori del centro abitato.

Il cortile dello stazzo era deserto, sembrava non esserci nessuno. Spensero il motore e si misero in attesa. Andrea disse che ci sarebbe voluta almeno un'ora, considerata la distanza dal capoluogo.

E ci volle un'ora, infatti. Durante la quale si interrogarono su cosa sarebbe venuto fuori dall'incontro che si apprestavano ad affrontare, mentre gli ulivi si agitavano nel vento e le nuvole facevano lampeggiare il sole. Chissà, magari non sarebbe andata come speravano e sarebbero stati messi alla porta. Oppure la loro ricostruzione era sbagliata, e non esistevano audiocassette o altro materiale. Oppure ancora quel materiale si trovava nella borsa di Biancaneve, e la borsa nell'aereo, e l'aereo nel Tirreno a oltre tremila metri di profondità. E c'era un'ultima eventualità da mettere in conto: che il materiale invece esistesse e fosse lì, dove si trovavano loro adesso, ma era talmente antiquato da non avere alcuna utilità, se non per la stesura di un saggio storico.

Avevano appena finito di elencare le possibili ipotesi negative, quando Sara vide avvicinarsi un'automobile impolverata, in perfetto orario rispetto alle previsioni di Andrea. Giunta nel cortile, l'auto si fermò. Un minuto. Due. Poi lo sportello si aprì e ne scese una donna di mezz'età.

Sara ebbe un sussulto. Avvertendo la reazione della collega, Andrea domandò:

«Le somiglia, vero?».

«Due gocce d'acqua. Impressionante.»

In effetti la donna era pressoché identica a quella che si era intravista nel servizio del telegiornale con l'intervista a Ribaudo. Solo l'acconciatura era diversa: i capelli spettinati e grigi riportavano tracce di una sbiadita tintura castana.

Si accostò alla loro macchina. Gli uccelli cantavano inquieti. Sara abbassò il finestrino. La donna li scrutò, la mascella indurita.

Sara disse:

«Buon pomeriggio, signora Badas. Siamo qui per Fulvia».

L'altra non mutò espressione. Poi sentenziò:

«Venite dentro».

Sara seguì la donna e accompagnò Andrea all'interno. L'ambiente era ampio, accogliente, con un paio di porte che si aprivano su altre stanze. Con un cenno, la padrona di casa li invitò ad accomodarsi e sedette di fronte a loro, in silenzio. Poi disse, con voce cupa:

«Fulvia me l'aveva detto che sarebbe venuto qualcuno, ma non mi aspettavo due così, in tutta franchezza. Non voglio sapere chi siete, non mi interessa».

Sara non era d'accordo:

«Invece vorrei che lei, signora, sapesse almeno che non siamo fra quelli che hanno voluto la morte di Fulvia. Anzi, vorremmo che venisse fatta giustizia. E che non ci fossero altri morti innocenti».

«E che me ne frega della giustizia? Io ho perso una parte di me, quella che ha vissuto per mio conto. E vi do ascolto per una sola ragione. Perché Fulvia mi aveva detto: se viene qualcuno a chiederti la borsa, gliela devi dare, chiunque esso sia. Perché se non gliela dai, ti uccideranno. Questo, mi aveva detto. Però adesso devo spiegarvi chi era Fulvia, e pure chi sono io. Va bene?»

«Va bene» disse Sara.

E Flavia Badas parlò.

XXXVII

Lo so che a voi non importa niente della nostra storia. Che ne potete fare a meno, che nel momento stesso in cui vi avrò dato la borsa ve ne sarete dimenticati.

E so pure che una parte di quanto vi racconterò potrebbe suscitarvi preoccupazione, e questo mi metterebbe in pericolo. Fulvia mi ha avvisata. Ma io vi parlerò lo stesso, approfitterò della vostra attenzione. Non è facile da ottenere, l'attenzione. Io vado a scuola, insegno, c'è chi mi ascolta e chi no, ma sono bambini: di quello che vi devo dire adesso, con loro devo tacere.

E se non sento la mia voce mentre dice le nostre cose, allora prima o poi, invecchiando da sola in questa casa, penserò di aver immaginato tutto. Vi pare giusto?

Perciò o ne parlo con voi, oppure con nessuno più.

Allora, le nostre madri. Perché se non si inizia da loro, non si capisce. Le nostre madri erano sorelle, se siete qui lo sapete. Erano molto unite, più o meno come lo eravamo Fulvia e io. Nate a un anno di distanza l'una dall'altra, sempre insieme, l'intera infanzia a giocare a fare le mamme con le bambole di pezza, l'intera adolescenza a sognare i figli che avrebbero avuto. Si sposarono insieme, la madre di Fulvia con un turista, la mia con un rappresentante di commercio di qui. Solo che la mamma di Fulvia era sterile.

Mia madre, quando rimase incinta, piangeva disperata, così mi ha sempre raccontato. Le rimordeva la coscienza, non poteva essere felice se non lo era anche la sorella. Chiese una grazia alla Madonna, che lei non restasse l'unica con un figlio. Ti prego, Madonnina, fallo avere anche a mia sorella.

All'epoca non si facevano ecografie o altri esami. C'erano le mammane e si partoriva in casa. E noi, noi fummo due. Una dietro l'altra. Così rispose la Madonna a mia madre.

Quel giorno non c'era mio padre, in giro a vendere macchine agricole, e non c'era il padre di Fulvia, nella sua città dall'altra parte del mare. Noi eravamo due, e loro erano due. Con gli stessi desideri, gli stessi sogni. E la Madonna che sorrideva.

Io l'ho sempre saputo che eravamo sorelle e non cugine, e lo ha sempre saputo pure lei. Fulvia e Flavia, i nomi di due belle macchine di allora. Separate alla nascita, ma unite.

Ci scrivevamo sempre. E per le vacanze stavamo insieme, e parlavamo, parlavamo, senza mai fermarci. Lei sapeva di me, della vita modesta di qua e del mio impiego di maestra, di questa campagna così dura e della città che cresceva piano, insieme ai paesi sul mare. E io sapevo di lei, del lavoro con il suo principale, il dottore, come lo chiamava. E mi sembrava straordinario visto da qui, dove non succede niente di niente. Mi raccontava dei contatti, degli affari, della crescita di quella persona. Mi diceva della paura di lui, del terrore, anzi. Ma se ha tanta paura di andare in galera, se è così terrorizzato dai magistrati e dai carabinieri e dalla polizia, perché non la smette?, le chiedevo.

Fulvia mi rispondeva che erano come due persone diverse nello stesso corpo: una feroce, insaziabile, incapace di porsi freni davanti al rischio, con in mano i fili di ogni cosa; e l'altra pavida, pessimista, convinta che da un momento all'altro sarebbero venuti ad arrestarla. Per questo portava sempre un registratore con sé e lo attivava se un discorso si faceva pericoloso. E ne parlava soltanto con Fulvia, perché solo in lei riponeva fiducia. E a me pareva impossibile che uno così, che nemmeno si fidava di se stesso, potesse invece fidarsi di una dipendente. E le dava in custodia tutte le cassette, per evitare che, se lo avessero preso, gliele trovassero addosso. Decine e decine di cassette. Diceva che erano la sua assicurazione sulla vita, quello che gli avrebbe consentito di superare indenne la tempesta.

Fulvia le diede a me fin dall'inizio. Portò la prima parte venendo in vacanza, nell'estate del 1992. Poi cominciò a mandare dei pacchetti di roba da mangiare con dentro le cassette. Io le conservavo insieme alle altre, in cantina. In un posto asciutto. Mi sembrava una cosa un poco eccentrica, ma che mi costava?

Poi lui, il dottore, chiuse l'azienda. Disse a Fulvia che era meglio così, per non dare nell'occhio: ma lei sapeva che avrebbe continuato con le attività, perché per lui era come respirare, la ragione per cui stava al mondo.

Fecero un patto: lui l'avrebbe pagata come consulente attraverso altre società, e lei avrebbe continuato a custodire i suoi segreti, la sua polizza sulla vita.

Fulvia non ha mai detto al dottore dove nascondeva le cassette. Lui pensava le tenesse in casa, o da qualche parte in città. E lei invece le aveva date a me. Diceva, ridendo, che pure lei aveva la polizza.

Ma le faceva comodo quello stipendio, perché nel frattempo aveva conosciuto la nullità che poi ha sposato. Io gliel'avevo detto che faceva una fesseria, mi è bastato vederlo mezza volta in continente per capire che non valeva niente. Lei, però, senza il lavoro, aveva bisogno di dedicarsi a qualcosa: e si era affezionata al suo Cesare, che era un buco nero per il denaro, col suo negozio fallimentare e le manie di grandezza.

Fulvia aveva messo da parte tanti quattrini. Non solo quelli degli stipendi, anche una parte di ciò che il dottore le passava dei propri affari sporchi. Ma con uomini come Cesare, i soldi non bastano mai.

Fui io, credo.

Non ne potevo più di sentirla piangere ogni sera, al telefono, mentre aspettava che il marito rientrasse dal giro degli strozzini ai quali chiedeva prestiti per pagare altri strozzini. Non sapeva cosa fare, lo amava e non poteva lasciarlo. Io le dicevo di mollare tutto, di tornare qui. Ma Fulvia, chissà perché, adorava quella nullità.

Venne qui in estate. Smarrita, disperata. Sembrava un'altra. Aveva superato tante tempeste all'epoca dei magistrati che inseguivano imprenditori e politici, era stata un faro per il dottore, e adesso era la vittima sentimentale di un negoziante di scarpe fallito. L'amore è una malattia.

Le consigliai di chiedere i soldi al dottore. Lei mi disse che non ne sarebbe stata capace, era una persona leale, aveva una venerazione per il suo capo. Poi cominciò a pensarci su e si risolse a domandarglieli. Ma lui, lui le disse di no. Lei gli stava chiedendo aiuto, e lui si rifiutava di darglielo.

Fu allora che Fulvia decise di fare quello che ha fatto. Di ricattarlo.

Si fece dare il mio documento d'identità, per potersi muovere senza essere rintracciata. Tornò dal principale e gli disse che avrebbe utilizzato le audiocassette.

Due sere dopo, mi riferì che il dottore aveva accettato. Era felice, perché questo avrebbe messo a posto ogni cosa e, finalmente, si sarebbe anche tolta il pensiero di me, dei rischi che correvo tenendo quella roba in cantina. Mi raccomandò di prepararle la borsa perché sarebbe venuta a prendersi tutto, e mi disse che voleva persino lasciare quell'idiota del marito. Pensava che sarebbe stato bello tornare qui e trascorrere insieme la vecchiaia. Chiudere la vita come l'avevamo aperta.

Ho capito quello che era successo appena ho sentito dell'aereo. Sono venuti i carabinieri il giorno dopo, ma io avevo già sporto denuncia di smarrimento della carta d'identità e dissi loro che non sapevo da quando mi mancava. Se ne sono andati senza dirmi niente.

Ho pianto? No. Mi sono sentita monca, privata di una parte di me. Come mi avessero asportato un organo interno.

Forse è così che funziona. Tra sorelle, intendo. E io ora faccio quello che mi ha detto lei e vi consegno questa roba che l'ha uccisa. Però prima dovevo dire tutto: se non lo avessi detto a qualcuno, sarebbe stato come se non fosse mai successo, vi pare?

Forse Fulvia tornerà a parlarmi nelle notti di vento, a volte succede. Questa casa è piena di spifferi, e sono tutte voci di donna.

Le sorelle si parlano per sempre. Mica devono essere vive per forza.

Voi ce l'avete, una sorella?

XXXVIII

Il direttore aveva quarant'anni, compiuti più o meno da un mese. Un mese e mezzo, a essere precisi.

Non credeva fosse tempo di bilanci. Non gli piaceva l'idea di tirare la linea ogni decennio e mettersi a pesare quello che di buono era successo o aveva realizzato. Era troppo esperto per non sapere che non tutto dipendeva da lui, e troppo giovane per non avere voglia di cogliere nuove occasioni. E comunque, quarant'anni erano quarant'anni. Non poté non pensare a quando da giovanotto guardava i colleghi di quell'età e diceva: mamma mia, quarant'anni, sono proprio vecchi.

Certo, rifletté mentre prendeva posto al tavolino preferito per la colazione, almeno io sono il direttore. Di sicuro assai diverso dal direttore che avrei immaginato di diventare; ma pur sempre il direttore.

Non era cambiato tanto lui, quanto il mestiere. Chi l'avrebbe mai detto che quel lavoro, rimasto uguale per cent'anni, sarebbe divenuto tutt'altra cosa? Prima la televisione, poi i canali di notizie in onda ventiquattr'ore su ventiquattro, poi ancora Internet e il brulicare di siti e voci, infine i social. Impossibile arrivare per primi sulla notizia; impossibile catturare l'attenzione degli ebeti dall'occhio spento e il dito sul mouse per più di quattro righe di titolo. L'aveva capito presto; e se un merito poteva ascriversi, era senz'altro quello. Non combattere le battaglie che non puoi vincere, diceva sua madre. Il che non vuol dire che tu non debba restare te stesso.

Sollevò il mento in cenno di saluto al barista. La comunicazione fra loro era simile a quella vigente fra il moschettiere Athos e il proprio servitore, Grimaud: funzionale e basata sulla mimica. Nella città del rumore e delle urla, il bar sotto la redazione era un'oasi di silenzio.

La vicinanza del mare, peraltro, anche in una mattina d'inverno come quella, conferiva un tocco esotico alla giornata. Una mano santa per chi, come lui, proveniva dal Nord metropolitano e indaffarato.

Quarant'anni, si ripeté contemplando il cornetto caldo e il cappuccino strabordante. Niente male, in fondo. Ne aveva trenta quando aveva abbracciato l'idea dell'editore, un imprenditore giovane e intelligente incontrato per caso. La leggo sempre, gli aveva detto. Mi piace il suo modo di affrontare le cose, ironico ma dolente. Lei, gli aveva detto, vede il mondo e le fa abbastanza orrore, ma pensa anche che sia possibile farlo divenire migliore. Quindi, gli aveva detto, facciamo una pagina. Un giornale online. Lo so, ce ne sono molti: ma noi ne facciamo uno indipendente. Indipendente dentro, intendo. Uno di quelli che non guarda in faccia a nessuno.

A trent'anni uno deve scegliere. A trent'anni non si deve pensare a ciò che si perde. A trent'anni non si gioca in difesa. A trent'anni si rischia.

Così era nato «Bestpage». E così era cresciuto, nemmeno lentamente. Era il posto dove si andava a leggere la verità, e il direttore aveva fatto di tutto perché fosse una fucina di talenti: gruppi di comici, analisti geopolitici, film-maker. L'editore ne aveva recepito lo spirito senza mettere bocca.

Appena bevuto l'ultimo sorso di cappuccino, la testa già nel turbine di ciò che avrebbe dovuto fare una volta salito in redazione, il direttore si accorse che il fido Grimaud, barista mimico, attendeva in piedi accanto al suo tavolo. Con un pacchetto in mano.

Lo fissò interrogativo, e il cameriere si schiarì la voce dimostrando di possederne una.

«Diretto', scusatemi. Avrei questo pacchetto da consegnarvi.»

Era avvolto in un materiale bianco e leggero che ricordava la carta velina. Il direttore non accennò ad afferrarlo. Rispose, invece:

«Che cos'è?».

Il barista fece spallucce.

«Non lo so. Sono venute due persone a portarlo, stamattina presto. Erano due... strani.»

«Che vuol dire, due strani?»

«Una donna coi capelli bianchi e un cieco. Però la donna pareva più giovane dei capelli che teneva, e il cieco si muoveva come se non era cieco. Non vi so spiegare, diretto'. Due strani. Hanno detto: qua viene a fare colazione il direttore di "Bestpage". Quando viene, gli potete dare questo pacchetto?»

«E poi?»

«E poi si sono pigliati il caffè, hanno pagato e se ne sono andati.»

«Senza dire altro?»

Il barista fece cenno di no, appoggiò con delicatezza l'involto sul tavolino e se ne tornò al bancone.

Il direttore lo prese. Aveva avuto l'impressione giusta, un foglio di carta velina. Dentro, gli astucci in plastica di due audiocassette micro. Un salto indietro nel tempo. Aveva conosciuto dei colleghi che ne facevano uso per registrare le interviste, quando i telefonini ancora non c'erano. Guardò da vicino gli astucci. Su ognuno era scritto qualcosa in uno stampatello preciso. Un nome. Uno per cassetta.

Il primo era di un politico. Uno dei maggiori a cavallo delle due Repubbliche, il quale reggeva ancora molti fili da dietro le quinte e aveva una certa influenza nella gestione dei fondi pubblici. Il secondo era quello di un'imprenditrice d'assalto che si stava riciclando nel settore delle energie rinnovabili.

Il direttore soppesò le cassette, quasi potesse intuirne il contenuto. Poi prese il cellulare e premette un tasto.

«Gaia? Ciao, tesoro. Senti un po', ma abbiamo qualche aggeggio di sopra che consente di ascoltare delle microcassette? Sì, quelle dei registratori portatili, quelli che... Sì, quelli di una volta. Be', trovane uno. Io sto salendo.»

XXXIX

Sara sognò Massimiliano.

Capitava meno spesso di quanto avrebbe voluto. In genere ricordava soltanto le sensazioni che ne derivavano, insieme a qualche dettaglio: dolore, dolcezza, pelle, occhi. Paura, anche.

Stavolta invece era il mare. Una passeggiata nel vento, piedi nudi e scarpe tenute con le dita, una mano intrecciata alla sua. Lui le parlava, ma il soffio delle folate e lo sciabordio delle onde rendevano le parole incomprensibili. Provava allora a interpretarne l'espressione, ma era neutra, non abbastanza definita.

Poi le parlava con maggiore chiarezza: qualcosa rimane, rimane sempre, non si può perdere. Ma cosa?, diceva lei. E lui le sorrideva, come a dire: lo sai. Non prendermi in giro. Lo sai.

Sara gli disse della gemella di Biancaneve, e lui annuì come sapesse già: lo vedi che qualcosa rimane? Andrea, Viola, Pardo, il piccolo Massimiliano. E Teresa, tua sorella. La parentesi che si apre e non si chiude mai più. Nemmeno noi due abbiamo chiuso la parentesi, amore mio. Non è la morte, a chiudere le parentesi.

Si svegliò con l'angoscia di non averlo salutato, di non aver compreso che il sogno stava per finire. Andò alla finestra, rendendosi conto dell'alba.

Le parentesi che non si chiudono, pensò. Qualcosa rimane, pensò.

E sentì due labbra sfiorare le sue nella prima luce e nel vento.

Due labbra. Tra il passato e il presente.

Il vento era cambiato, e stavolta veniva dal mare.

La notte di novembre lasciava il posto alla prima luce, le nuvole si muovevano veloci e nere, in attesa di fermarsi e scaricare di nuovo la pioggia caduta durante il buio. Le onde si infrangevano rabbiose sul pontile, sollevando spruzzi rumorosi come i ricordi.

Nell'ampio parcheggio – mai sufficiente nell'estate dei gelati e degli ombrelloni, dei bambini e dei saltimbanchi – c'era una sola automobile, un'utilitaria anonima grigia come il cielo. Lo sportello del guidatore era accostato, non chiuso.

Il turbine soffiava forte sulla panchina davanti al mare, e i flutti rabbiosi avrebbero voluto arrivare a lambirla. I vortici d'aria smuovevano i radi capelli dell'uomo che stava seduto, gli spruzzi più audaci picchiettavano sulle lenti, e la sabbia bagnata sporcava le scarpe e i pantaloni. Le mani nelle tasche tenevano fermo il soprabito che sventolava inquieto.

L'uomo sembrava dormire. Immerso in un sonno così profondo da non respirare nemmeno.

Ma non dormiva.

All'ombra di un albero spoglio, Nico guardava.

Si era aspettato il cuore in gola, un urlo strozzato, una corsa nel sole. Si era aspettato una gioia senza pareti, o un dolore bruciante.

Ci aveva pensato tante di quelle volte da aspettarsi tutto e il contrario di tutto.

Adesso che la vedeva ridere e chiacchierare in mezzo ad altre donne, non avrebbe saputo dire cosa provava. Inquietudine, rabbia, senso di colpa: i sentimenti più forti erano spariti, lasciando spazio all'eco delle sfumature, delle emozioni lievi.

Quando Sara gli aveva detto il nome della piccola città del centro in cui si trovava Ana, gli era parso che il cuore non avrebbe retto. Ebbe paura. Un'incontrollata, devastante paura. L'incapacità di guardare in fondo a se stesso e la necessità di andare in fondo a se stesso si scontrarono come due belve in lotta. Doveva andarci, lo sapeva. Ma non avrebbe voluto.

Negli occhi di Sara, in cui per qualche assurdo motivo sapeva guardare, aveva letto una vena di smarrimento. Non nel tono fermo; non nei movimenti del viso e delle mani, sereni e composti; ma negli occhi. Negli occhi c'era come un tremito, un bagliore.

Si era messo in viaggio. Una camera in un alberghetto, a poca distanza dall'indirizzo che aveva. Ci era andato, ma non aveva cercato sul citofono. Nemmeno si era avvicinato al portone. Si era seduto al tavolino di un caffè, dal quale poteva vedere. E aveva aspettato. Finché l'aveva vista uscire.

Era ancora bella. Forse i capelli avevano qualcosa di diverso; e lei aveva una nuova pienezza, il passo era meno svelto. Quasi fosse pervasa dalla consapevolezza che il mondo potesse aspettare. Ana sapeva dove andare, adesso.

Per qualche motivo, questo lo ferì. Aveva assunto una nuova veste, senza aver bisogno di Nico. Mentre lui era rimasto fermo, ad attendere. Poteva cercarlo. Poteva rintracciarlo. Sara lo aveva trovato facilmente, in fondo. Ma Ana no. Ana non l'aveva cercato. Lui non aveva fatto altro che cercarla.

E ora era lì, a nemmeno trenta metri, che gesticolava parlando con due donne che ridevano.

Sara gli aveva detto dell'Angola, da cui era tornata due anni prima. Gli aveva detto dell'esercizio eroico della professione. Non gli aveva detto altro; Nico sospettava che qualcosa sapesse, ma che non ritenesse giusto valicare un varco da cui non le era stato dato il permesso di passare.

Trascorsero i minuti, poi suonò una campanella e i bambini sciamarono fuori nel sole inatteso di novembre. Le donne, e Ana con loro, si voltarono verso il coloratissimo stormo di uccellini che volavano dalla porta, cappotti e giacche e cappelli e sciarpe e zaini e allegria, da un mondo all'altro. La scuola per quel giorno era finita, e c'era la merenda, e c'erano gli abbracci da ricevere.

Nico vide il bambino nero, il più bello e felice di tutti. Lo vide e lo riconobbe in mezzo a tutti gli altri. Correva tra le braccia di Ana. La vide sollevarlo, guancia ridente contro guancia ridente, bianco e nero, madre e figlio.

Prima ancora che Ana mettesse il bambino giù, Nico era sparito.

Teresa annusò la pioggia caduta durante la notte, e si allacciò meglio la scarpa destra.

Amava correre incontro all'alba, se era piovuto. C'era un momento preciso in cui il primo raggio del sole nuovo colpiva le pozzanghere sull'asfalto e ne traeva una specie di arcobaleno. Col piacere allegro di una bambina, lei ci correva dentro e le sembrava di mettere i piedi nella luce, facendola spruzzare in gocce che sembravano polvere di stelle.

Da qualche giorno Bionda sentiva dentro un entusiasmo particolare, una gioia compressa che le riempiva un posto tra lo stomaco e il cuore. Aveva riflettuto su cosa fosse successo rispetto al recente passato, sull'ansia che la divorava, sull'angoscia che la opprimeva: e aveva concluso che quella frustata di gioventù, l'operatività ritrovata nell'indagine con Sara e Andrea, le avevano detto qualcosa di importante.

Le avevano detto che non era una sterile burocrate; che poteva ancora dire la sua, sul campo; che la voglia di verità era sopravvissuta intatta.

I passi svelti martellavano l'asfalto in discesa, verso il lungomare. Sarebbe giunta puntuale all'appuntamento con la prima luce del sole e con l'arcobaleno delle pozzanghere.

Un'altra cosa le avevano detto gli ultimi giorni, pensò mentre il fiato si rompeva e i muscoli si ossigenavano. Non era sola.

Era stato un attimo importante, quando si era ritrovata al tavolino della libreria; quando Mora le aveva chiesto aiuto, con gli stessi occhi di trent'anni prima. Aver bisogno di qualcuno capita di frequente, aveva pensato; ma chi ha bisogno di te ti dice che sei importante. Che non sei un guscio vuoto. Che qualche sentimento ti unisce ancora al resto del mondo.

Passò l'ultima curva, percependo con la coda dell'occhio una berlina scura che si staccava dal marciapiede. Non era l'unica così mattiniera.

La discesa si apriva verso il mare, e il grigio all'orizzonte era già rosa. Teresa pensò che magari avrebbe potuto lasciarlo, quel posto per il quale aveva tanto combattuto. Che avrebbe potuto fare quello che le piaceva davvero, che poi era ciò che aveva fatto in quei giorni. Che avrebbe potuto sentirsi di nuovo viva.

Fantasticò che avrebbe potuto perfino lasciare l'appartamento triste e lussuoso dove piangeva senza lacrime sulla propria solitudine. Lasciarselo dietro con i brutti ricordi, e andare a stare da Sara, la quale in fondo era la sorella che aveva sempre avuto.

Favorita dalla corsa e dal silenzio, la memoria andò ai giorni in cui erano state sole nella sua minuscola casa di allora. A come a dispetto di tutto, della precarietà e della paura del futuro, si fossero divertite. Serate di birra e risate sparlando dei colleghi e immaginando le vite degli altri. Mai prima, e mai dopo, si era sentita così unita a qualcuno.

Nel percorrere gli ultimi metri prima del lungomare, nel silenzio rotto dai propri passi e dal sommesso rumore di un motore, Teresa pensò che la vita non finisce, e che una parentesi, una volta aperta, può anche non chiudersi.

Meno di due minuti dopo, il sole si fece spazio tra le nuvole e la notte, e lanciò il suo raggio nelle pozzanghere per trarne l'arcobaleno.

Ma non ci fu nessuno a correrci dentro, per far spruzzare la polvere di stelle.

Fine

I PERSONAGGI

La squadra

SARA MOROZZI

Il corpo non mente. Lo sa bene Sara Morozzi che vede quello che non si vede, legge le labbra e interpreta il linguaggio non verbale: per lei gli altri non hanno segreti. Smorfie ed espressioni del viso, posture e impercettibili gesti compongono i segni di un alfabeto che gli occhi di Sara decifrano. Ma un talento simile non può passare inosservato, tanto più se colei che lo possiede è un'agente di polizia. E così, alla fine degli anni Ottanta, viene reclutata dalla più riservata unità dei Servizi, una struttura impegnata in attività non autorizzate di intercettazione e dossieraggio. Il tempo delle scelte incombe e Sara – detta Mora – compie quelle più dolorose. Insieme alle pratiche altamente confidenziali e all'amicizia della collega-rivale Teresa Pandolfi, il nuovo lavoro le regala il più irresistibile degli amori: quello per Massimiliano Tamburi, il suo capo, l'enigmatico fondatore dell'Unità, più grande di lei. Una passione travolgente al punto da spingerla a lasciare il marito e il figlio piccolo.

Trent'anni dopo, Sara ha sofferto troppo e pagato tutto. Trascorre notti insonni, visitate dai fantasmi di chi se n'è andato: quello di Massimiliano stroncato da una malattia incurabile e quello del figlio Giorgio deceduto in un misterioso incidente. Dopo una vita passata a svelare menzogne, le maschere sono diventate sue nemiche. Perciò Sara Morozzi non si trucca, non porta scarpe col tacco, veste in modo ordinario e non colora il grigio dei suoi capelli. È una donna che vuole passare inosservata. È una donna capace di celare un'occulta bellezza. È la donna invisibile.

VIOLA

Il destino non è stato tenero con Viola. Da ragazzina ha
perso il padre a cui era legata da un rapporto speciale. Poi è
toccato al compagno Giorgio, il figlio di Sara, morto quando lei era incinta. Invece a essere ben presente nella vita
della giovane è la madre, una donna petulante, collerica,
egocentrica e attaccata al denaro. Sola e con un bambino
in arrivo, Viola ha dovuto rinunciare al sogno di diventare
una fotoreporter, anche se con la macchina fotografica è un
asso e con l'obiettivo cattura i dettagli che Sara coglie con
gli occhi. Insieme alla donna invisibile e a Davide Pardo
compone un trio di detective tanto improbabile quanto for-
midabile. Dopo la nascita del piccolo Massimiliano, dovrà
rintuzzare a botte di feroce sarcasmo l'invadente premura
«materna» del poliziotto.

DAVIDE PARDO

All'ispettore Davide Pardo non ne va bene una. Sognava una famiglia numerosa, e non è riuscito a tenersi una donna. Credeva nella legge, ma la legge lo ha deluso. Ora che ha superato la cinquantina vorrebbe almeno preservare il sacro rito del caffè delle undici, ma succede che anche quello va in malora. Il destino può essere davvero crudele, e a Davide è capitata pure la disgrazia di possedere un cane. O meglio, al cane è capitato il colpo di fortuna di possedere Davide. L'animale in questione è un Bovaro del Bernese di sessanta chili e settanta centimetri d'altezza che ha trasformato l'esistenza del poliziotto in un inferno.

Tosto, semplice, dall'aspetto irsuto, Pardo vede il mondo in bianco e nero. Quando Sara Morozzi lo coinvolgerà nelle sue inchieste, scoprirà che esistono infinite sfumature di grigio.

BORIS

Se è vero che il cane è il migliore amico dell'uomo, non è sempre vero il contrario. Di sicuro non lo è per l'ispettore Davide Pardo, che il suo quadrupede lo detesta con tutta l'anima. Del resto Boris non ha le fattezze di una deliziosa bestiola, essendo una belva mastodontica con un chilo di lingua che non esita a spalmare sul viso di Davide. Ma ben più dell'incontenibile affetto, a esasperare il poliziotto provvedono le imponenti deiezioni che l'animale è solito rilasciare, insieme alle furiose sessioni di sci nautico di terra a cui Boris costringe colui che dovrebbe tenerlo al guinzaglio. E visto che al peggio non c'è mai fine, Pardo deve anche subire l'onta della complicità che fin dal primo incontro s'instaura tra il gigantesco Bovaro del Bernese e Sara Morozzi.

L'Unità

TERESA PANDOLFI

All'ostentazione della propria bellezza, Teresa Pandolfi non ha mai rinunciato: né da giovane recluta dell'Unità, né da agente operativa e nemmeno dopo la morte di Massimiliano Tamburi, quando gli succederà ai vertici di uno dei più segreti e strategici apparati per la sicurezza dello Stato. Arruolata insieme a Sara, per tutti le due diventano semplicemente "Mora" e "Bionda". Diverse come il giorno e la notte, sono state amiche, colleghe, rivali. E Bionda è tutto ciò che Sara non è: vistosa e attraente, cinica e impermeabile all'amore a cui ha rinunciato, preferendo concedersi momenti di passione rapace rubati a uomini più giovani di lei. Sarà la fredda e calcolatrice Teresa a richiamare la donna invisibile sul campo. Ma nessuno è davvero immune all'amore e alle sue conseguenze, e Bionda lo scoprirà suo malgrado.

MASSIMILIANO TAMBURI

Solo in pochi conoscono davvero la storia segreta d'Italia: Massimiliano Tamburi è tra questi. Agente del servizio segreto militare, sostenitore visionario delle più moderne tecniche di intelligence, è l'enigmatico fondatore dell'Unità e l'uomo per cui Sara rinuncia a tutto senza che lui le abbia mai chiesto niente. Neanche la morte scioglierà il vincolo dell'amore, e il ricordo di Massi rimarrà una presenza costante per la donna invisibile, insieme al suo archivio tra i cui incartamenti sono custodite le verità più inconfessabili sui misteri della Repubblica: delitti, stragi e corruzione; rapporti tra politici e mafiosi; guerre occulte, vinte o perse all'insaputa dei più; attentati mascherati da incidenti e incidenti mascherati da attentati.

ANDREA CATAPANO

È un mondo immerso nel buio quello in cui vive Andrea Catapano da quando una malattia lo ha privato della vista. Le tenebre, però, possono essere anche un'occasione, se si sa come usarle. E così ha fatto Andrea, sfruttando la cecità per affinare l'acume e la potenza degli altri sensi. In particolare, dell'udito. Grazie a queste capacità, sviluppate al limite del soprannaturale, si è trasformato in una leggenda dell'intelligence e in uno degli analisti più brillanti dell'Unità, diventando il braccio destro di Tamburi. Legato a Massimiliano da un rapporto speciale, Catapano custodisce ricordi che fanno male e segreti inconfessabili.

Altri personaggi

ANA FLORESCU

Ana credeva in tante cose: passioni, convinzioni, idee le attraversavano testa e cuore, e negli occhi aveva una luce nera. Da ragazza era bellissima: lineamenti perfetti e grazia nell'incedere, quando entrava in un posto attirava l'attenzione di tutti.

Arrivata in Italia dalla Romania negli anni Ottanta, ha vissuto fuori sede con il fratello e altri studenti romeni, in una città occidentale dove l'inverno non esiste.

Dopo la laurea in Medicina con il massimo dei voti, è diventata una dottoressa di talento, con grandi capacità diagnostiche. Ha un futuro in Italia, non ha mai dimenticato però la sua terra, i genitori lontani. Ma il destino era già scritto, e non poteva sottrarsi a un piano più grande di lei. Fino al giorno in cui è svanita nel nulla.

Adesso, a distanza di trent'anni, c'è un uomo che non si dà pace perché non è riuscito a salvarla. E vuole sapere cosa è successo davvero.

NIKOLAJ POPOV

Il più illustre degli ignoti, il più sussurrato degli inno-
minati, un tempo il rinomato chirurgo russo si chiamava
Nicolae Popescu ed era di nazionalità romena.

Alto, massiccio, il viso segnato dal dolore, ha scelto di
navigare a vista disancorandosi da ogni patria e da ogni affetto dopo quello che è successo trent'anni prima alla sua
donna, Ana Florescu. Vive trasferendosi di continuo da un
posto all'altro, una leggenda della medicina internazionale
senza sede e senza fissa dimora, che opera solo in strutture
private dopo essere stato contattato da misteriosi intermediari.

A Sara è legato da un passato indissolubile e, quando lo
guarda, la donna invisibile non può fare a meno di lasciarsi
travolgere dai ricordi e dal senso di colpa che riaffiora. Perché un tempo lei è stata giovane e pieni di ideali, credendo
con forza di essere dalla parte giusta. E Popov si è chiesto
all'infinito come sarebbe andata, se non avesse incrociato
gli occhi di Sara.

Ora il destino li ha fatti rincontrare e Nikolaj ha capito
di non poter più rimanere fermo dove lei lo ha lasciato. Ma
di dover ripartire proprio da lì.

LA SERIE DI SARA MOROZZI

Sara che aspetta, in *Sbirre* (2018)
Sara al tramonto (2018)
Le parole di Sara (2019)
Una lettera per Sara (2020)
Gli occhi di Sara (2021)

Finito di stampare nel mese di maggio 2022
presso ✦ Grafica Veneta S.p.A. – Via Malcanton, 2 – Trebaseleghe (PD)
Printed in Italy